名探偵コナン

黒《くろ》鉄《がね》の魚影《サブマリン》

ハイテク施《し》設《せつ》に潜《せん》入《にゅう》!?

八丈島《はちじょうじま》に向《む》かったコナンに
沖矢《おきや》から着信《ちゃくしん》が…

黒《くろ》ずくめの組織《そしき》の一員《いちいん》
ピンガがユーロポールの
施設《しせつ》に侵入《しんにゅう》し、
職員《しょくいん》が殺害《さつがい》されたという。

白鳥《しらとり》と黒田《くろだ》を
見《み》かけたコナンは
警察《けいさつ》の船《ふね》に!?

八《はち》丈《じょう》島《じま》沖《おき》の最《さい》新《しん》

着《つ》いたのは、
世界中《せかいじゅう》の防犯《ぼうはん》カメラをつなぐ施設《しせつ》
「パシフィック・ブイ」。

「聞《き》かせてもらえるかな？
なぜ我々《われわれ》と一緒《いっしょ》に来《き》たのか」

施設《しせつ》には世界中《せかいじゅう》の
エンジニアが
集結《しゅうけつ》していた。

陰謀《いんぼう》の標的《ひょうてき》は灰原《はいばら》!?

天才《てんさい》エンジニアの
直美《なおみ》が生《う》み出《だ》した
老若認証《ろうにゃくにんしょう》システム…

骨格《こっかく》から老化《ろうか》や
若返《わかがえ》りを計算《けいさん》して
人物《じんぶつ》を特定《とくてい》できる!!

施設《しせつ》に潜入《せんにゅう》した
バーボンと
ベルモットは…

二人《ふたり》の狙《ねら》いは、
直美《なおみ》!?

海《うみ》の底《そこ》でうごめく

直美《なおみ》が持《も》っていたUSB《ユーエスビー》メモリから
灰原《はいばら》の存在《そんざい》を知《し》ったジンは!?

「オレがぜってー連《つ》れ戻《もど》す…」

誘拐《ゆうかい》された灰原《はいばら》を追《お》う
コナンだったが…

無事《ぶじ》に助《たす》け出《だ》せるのか!?

灰原《はいばら》を乗《の》せた車《くるま》を追《お》いかけるも、
そのまま海《うみ》へ!

そこに巨大《きょだい》な潜水艦《せんすいかん》が!!

安室《あむろ》からの情報《じょうほう》によると、

灰原救出《はいばらきゅうしゅつ》のチャンスは
たった一度《いちど》!!

捕《と》らえられた灰《はい》原《ばら》を

誘《ゆう》拐《かい》された二《ふた》人《り》、
直《なお》美《み》と灰《はい》原《ばら》には過《か》去《こ》に関《かん》係《けい》が？

「お前《まえ》、シェリーなんだろ？」

灰《はい》原《ばら》の運《うん》命《めい》は!?

CHARACTERS

江戸川《えどがわ》コナン
（工藤新一《くどうしんいち》）
Conan Edogawa

毛利《もうり》 蘭《らん》
Ran Mōri

灰原《はいばら》 哀《あい》
Aï Haibara

キール
Kir

バーボン
（安室《あむろ》 透《とおる》）
Bourbon

ベルモット
Vermouth

ジン
Gin

名探偵コナン

黒鉄《くろがね》の魚影《サブマリン》

水稀しま／著
青山剛昌／原作
櫻井武晴／脚本

★小学館ジュニア文庫★

オレは高校生探偵《こうこうせいたんてい》、工藤新一《くどうしんいち》。

幼《おさな》なじみで同級生《どうきゅうせい》の毛利蘭《もうりらん》と遊園地《ゆうえんち》に遊《あそ》びに行《い》って、黒《くろ》ずくめの男《おとこ》の怪《あや》しげな取《と》り引《ひ》き現場《げんば》を目撃《もくげき》した。

取《と》り引《ひ》きを見《み》るのに夢中《むちゅう》になっていたオレは、背後《はいご》から近《ちか》づいてくるもう一人《ひとり》の仲間《なかま》に気《き》づかなかった。オレはその男《おとこ》に毒薬《どくやく》を飲《の》まされ、目《め》が覚《さ》めたら――体《からだ》が縮《ちぢ》んで子供《こども》の姿《すがた》になっていた!!

工藤新一《くどうしんいち》が生《い》きていると奴等《やつら》にバレたら、また命《いのち》を狙《ねら》われ、周《まわ》りの人間《にんげん》にも危害《きがい》が及《およ》ぶ。だからオレは阿笠博士《あがさはかせ》の助言《じょげん》で正体《しょうたい》を隠《かく》すことにした。

蘭《らん》に名前《なまえ》をきかれてとっさに『江戸川《えどがわ》コナン』と名乗《なの》り、奴等《やつら》の情報《じょうほう》をつかむために、父親《ちちおや》が探偵《たんてい》をやっている蘭《らん》の家《いえ》に転《ころ》がり込《こ》んだ。

謎《なぞ》に包《つつ》まれた黒《くろ》ずくめの組織《そしき》。そのメンバーは、ジン、ウォッカ、ベルモット、キャンティ、コルン、バーボン、キール。そして、シェリー。

シェリーの本名《ほんみょう》は、宮野志保《みやのしほ》。オレが飲《の》まされた毒薬《どくやく》『APTX4869《アポトキシン》』を開発《かいはつ》した科学者《かがくしゃ》だったが、姉《あね》の宮野明美《みやのあけみ》を殺《ころ》されて、組織《そしき》に反抗《はんこう》。自《みずか》らも命《いのち》を絶《た》とうと、その薬《くすり》を飲《の》んだところ、体《からだ》が縮《ちぢ》んでしまった。今《いま》は『灰原哀《はいばらあい》』と名前《なまえ》を変《か》え、組織《そしき》の追跡《ついせき》を逃《のが》れながら、組織《そしき》を追《お》うオレと同《おな》じ小学生《しょうがくせい》の生活《せいかつ》を、阿笠博士《あがさはかせ》の家《いえ》に住《す》みながら送《おく》っている。

そして黒《くろ》ずくめの組織《そしき》を追《お》っているのは、オレだけじゃない。組織《そしき》に潜入《せんにゅう》している公安警察官《こうあんけいさつかん》、バーボンこと降谷零《ふるやれい》（安室透《あむろとおる》）。さらに、アメリカ中央情報局《ちゅうおうじょうほうきょく》ＣＩＡ《シーアイエー》、キールこと水無怜奈《みずなしれな》。そして、アメリカ連邦捜査局《れんぽうそうさきょく》ＦＢＩ《エフビーアイ》のジェイムズ・ブラック、アンドレ・キャメル、ジョディ・スターリング。さらに、赤井秀一《あかいしゅういち》。

彼《かれ》はＦＢＩ《エフビーアイ》きっての狙撃《そげき》の名手《めいしゅ》だ。今《いま》は『沖矢昴《おきやすばる》』という大学院生《だいがくいんせい》に変装《へんそう》し、かつてオレが住《す》んでいた家《いえ》に身《み》を潜《ひそ》めている——。

小《ちい》さくなっても頭脳《ずのう》は同《おな》じ。迷宮《めいきゅう》なしの名探偵《めいたんてい》。真実《しんじつ》はいつも一《ひと》つ！

1

ドイツ・フランクフルト――。

ヨーロッパ有数《ゆうすう》の大都市《だいとし》であるフランクフルトの中心《ちゅうしん》にある、ドイツ伝統《でんとう》の木組《きぐ》みの建物《たてもの》に囲《かこ》まれた広場《ひろば》は、観光客《かんこうきゃく》でにぎわう昼間《ひるま》とは打《う》って変《か》わって、夜《よる》は人気《ひとけ》がなかった。

その静《しず》まり返《かえ》った広場《ひろば》を、一台《いちだい》のバイクが横切《よこぎ》った。黒《くろ》のフルフェイスヘルメットを被《かぶ》り、ライダースーツに身《み》を包《つつ》んだライダーの先《さき》には、必死《ひっし》で逃《に》げるスーツ姿《すがた》の女性《じょせい》が見《み》える。

左肩《ひだりかた》に銃創《じゅうそう》を負《お》った女性《じょせい》は、広場《ひろば》を抜《ぬ》けてマイン川《がわ》の方《ほう》へと走《はし》っていく。

（ダメ……そっちに逃《に》げないで……）

バイクを走《はし》らせるキールは、心《こころ》の中《なか》でつぶやいた。

（せめて私《わたし》につかまって……！）

左肩《ひだりかた》を撃《う》たれた女性《じょせい》は、スマホを耳《みみ》に当《あ》てながら懸命《けんめい》に走《はし》った。

『ニーナ！　何《なに》があったの？　状況《じょうきょう》を報告《ほうこく》して！』

「センターに侵入《しんにゅう》した犯人《はんにん》の仲間《なかま》に追《お》われてるの！」

『侵入《しんにゅう》!?』

ニーナは走《はし》りながら、後《うし》ろを振《ふ》り返《かえ》った。

『誰《だれ》が侵入《しんにゅう》したの!?』

答《こた》えている余裕《よゆう》はなかった。追《お》いかけてくるバイクのヘッドライトが迫《せま》っていたからだ。

ニーナは走《はし》った。やがて車《くるま》が行《ゆ》き交《か》う通《とお》りに出《で》て、ニーナは躊躇《ちゅうちょ》なく飛《と》び出《だ》した。左《ひだり》から来《き》た車《くるま》がクラクションを鳴《な》らす。車《くるま》すれすれのところで横切《よこぎ》ったニーナは、そのまま走《はし》り続《つづ》ける。

ニーナを追《お》いかけるキールのバイクは、通《とお》りを行《ゆ》き交《か》う車《くるま》に阻《はば》まれ、急《きゅう》ブレーキをかけて停《と》まった。

『ニーナ、大丈夫《だいじょうぶ》!?』

右手《みぎて》に持《も》つスマホから、ＦＢＩ《エフビーアイ》のジョディの声《こえ》が聞《き》こえてくる。マイン川沿《がわぞ》いの通《とお》りに出《で》たニーナは、川《かわ》に架《か》かる鉄《てつ》の橋《はし》アイゼルナーシュテグに向《む》かった。

階段《かいだん》を一気《いっき》に駆《か》け上《あ》がって橋《はし》の上《うえ》に出《で》たニーナは、足《あし》を緩《ゆる》めて後《うし》ろを振《ふ》り返《かえ》った。歩行《ほこう》者専用《しゃせんよう》の橋《はし》に続《つづ》く急階段《きゅうかいだん》なら、バイクも上《のぼ》ってこないだろう――安堵《あんど》したのもつかの間《ま》、ブオォンとバイクのエンジン音《おん》が響《ひび》いたと同時《どうじ》に、階段《かいだん》を上《のぼ》ってきたバイクが橋《はし》の上《うえ》に飛《と》び出《だ》した。

「ッ!?」

慌《あわ》てて後《あと》ずさりするニーナに、キールがすかさず銃弾《じゅうだん》を放《はな》った。後《うし》ろ歩《ある》きする足元《あしもと》に着弾《ちゃくだん》して、バランスを崩《くず》したニーナは尻餅《しりもち》をついた。そのはずみで持《も》っていたスマホが離《はな》れて、橋面《きょうめん》を滑《すべ》っていく。

『ニーナ！』

スマホから声《こえ》が響《ひび》く。

発砲《はっぽう》したキールは、バイクから飛《と》び降《お》りて、倒《たお》れているニーナのそばに着地《ちゃくち》した。

『ニーナ？　今《いま》のは何《なに》!?　ニーナ！』

銃《じゅう》を構《かま》えたキールは、片手《かたて》でヘルメットのシールドを上《あ》げた。そしてヘッドセットのマイクを手《て》で覆《おお》う。

「川《かわ》に飛《と》び込《こ》んで！　早《はや》く！」

キールは銃《じゅう》をニーナに向《む》けながら、小声《こごえ》のドイツ語《ご》で話《はな》しかけた。

頭《あたま》を上《あ》げたニーナは、銃《じゅう》を持《も》つキールの人差《ひとさ》し指《ゆび》が引《ひ》き金《がね》にかかっていないのに気《き》づいた。

「お願《ねが》い、早《はや》く川《かわ》に！」

ニーナは耳《みみ》を疑《うたが》った。しかし、再《ふたた》び小声《こごえ》で話《はな》しかけるキールの表情《ひょうじょう》は、緊迫感《きんぱくかん》に満《み》ちている。

ニーナはよろよろと立《た》ち上《あ》がった。キールも銃《じゅう》を向《む》けたまま、立《た》ち上《あ》がる。ニーナはキールに背《せ》を向《む》けて走《はし》った。そして欄干《らんかん》に飛《と》び乗《の》り、大《おお》きくジャンプして川《かわ》に飛《と》び込《こ》む。

その瞬間《しゅんかん》、銃声《じゅうせい》が響《ひび》いた。

キールの肩口《かたぐち》から銃弾《じゅうだん》が飛《と》び出《だ》し、川《かわ》に落下《らっか》するニーナのこめかみに着弾《ちゃくだん》する。

橋《はし》の下《した》からドボンと音《おと》がして、小《ちい》さな水柱《みずばしら》が立《た》った。

その場《ば》に倒《たお》れ込《こ》んだキールは、呆然《ぼうぜん》と欄干《らんかん》の先《さき》を見《み》つめる。

「くっ……」

撃《う》たれた肩《かた》を押《お》さえながら後《うし》ろを見《み》ると——銃《じゅう》を横《よこ》に傾《かたむ》けて構《かま》えるジンが立《た》っていた。

「ジン……！」

銃口《じゅうこう》から煙《けむり》が出《で》ていた。さらに銃《じゅう》を撃《う》つ。銃弾《じゅうだん》は落《お》ちているニーナのスマホを撃《う》ち砕《くだ》いた。

「もたもたしてんじゃねぇ、キール」

黒《くろ》の中折《なかお》れ帽《ぼう》から覗《のぞ》かせた鋭《するど》い目《め》で、キールをにらみつける。その有無《うむ》を言《い》わせぬ語気《ごき》と視線《しせん》に圧《お》されて、キールは「え、ええ……」とうなずいた。

ジンはそれ以上何《いじょうなに》も言《い》わずに立《た》ち去《さ》った。起《お》き上《あ》がったキールはヘルメットを取《と》り、ジンの背中《せなか》を見送《みおく》る。そして横目《よこめ》でニーナが落《お》ちた川《かわ》の方《ほう》を見《み》た。

ジンにこめかみを撃《う》たれたニーナの体《からだ》は、暗《くら》くて冷《つめ》たいマイン川《がわ》の底《そこ》へとゆっくりと沈《しず》んでいった。やがて、揺《ゆ》らめく上着《うわぎ》のポケットから手帳《てちょう》が出《で》てきた。沈《しず》むニーナから離《はな》れて、ゆっくりと浮上《ふじょう》する。開《ひら》いた手帳《てちょう》には、ニーナの顔写真《かおじゃしん》がついたユーロポール（ヨーロッパ刑事警察機構《けいじけいさつきこう》）の身分証明書《みぶんしょうめいしょ》が挟《はさ》まれていた——。


日本《にっぽん》・米花町《べいかちょう》。

陽射《ひざ》しを浴《あ》びて輝《かがや》く堤無津川《ていむずがわ》に架《か》かる橋《はし》のそばに、バーボンこと安室透《あむろとおる》の愛車《あいしゃ》RX《アールエックス》－7《セブン》が停《と》まっていた。その助手席《じょしゅせき》には、ベルモットが座《すわ》っている。

「状況《じょうきょう》はどうです？」

ハンドルを握《にぎ》るバーボンがたずねると、ベルモットはスマホの画面《がめん》に指《ゆび》を滑《すべ》らせながら答《こた》えた。

「今《いま》のところ、上手《うま》くいってるみたいよ。あとは例《れい》のシステムで、この男《おとこ》を捜《さが》さないとね」

スマホの画面《がめん》には、EU《イーユー》議会《ぎかい》のホームページが表示《ひょうじ》されていた。議員《ぎいん》の顔写真《かおじゃしん》がずらりと並《なら》び、ベルモットは一人《ひとり》の男性議員《だんせいぎいん》の写真《しゃしん》を拡大《かくだい》して見《み》つめる。

「時間《じかん》の問題《もんだい》でしょう」

バーボンはそう言《い》うと、エンジンをかけた。

男性議員《だんせいぎいん》の写真《しゃしん》を確認《かくにん》したベルモットは、退屈《たいくつ》そうにスマホの画面《がめん》をスワイプして、どんどんブラウザバックした。やがてニュースサイトのトップページに戻《もど》って、ベルモットはふと指《ゆび》を止《と》めた。見出《みだ》しの横《よこ》に掲載《けいさい》された広告《こうこく》に目《め》をやる。

動《うご》き出《だ》した車《くるま》は、堤無津川《ていむずがわ》に架《か》かる橋《はし》を颯爽《さっそう》と駆《か》け抜《ぬ》けた。


コナンは同級生《どうきゅうせい》の小嶋元太《こじまげんた》、円谷光彦《つぶらやみつひこ》、吉田歩美《よしだあゆみ》、そして灰原哀《はいばらあい》と米花百貨店《べいかひゃっかてん》に来《き》ていた。吹《ふ》き抜《ぬ》けの天井《てんじょう》に届《とど》くようにそびえるクリスタルのオブジェがある一階中央《いっかいちゅうおう》ホールには、福引所《ふくびきじょ》が設置《せっち》され、多《おお》くの客《きゃく》が並《なら》んでいる。

「おースゲーッ！　一等《いっとう》はホエールウォッチングだってよ。絶対当《ぜったいあ》てようぜ‼」

列《れつ》の最後尾《さいこうび》に並《なら》んだ元太《げんた》は、福引所《ふくびきじょ》に飾《かざ》られた大《おお》きなクジラのパネルを見《み》て、鼻息《はないき》を荒《あら》くした。

「福引《ふくびき》は一人一回《ひとりいっかい》しか引《ひ》けませんからね！」

「クジラさん、会《あ》いたーい！」

「イルカも、イルカもな！」

気合《きあ》いが入《はい》る子供達《こどもたち》の後《うし》ろに並《なら》んだコナンは、（くだらねーギャグ）と元太《げんた》のギャグを鼻《はな》で笑《わら》った。

すると突然《とつぜん》、コナンの後《うし》ろに並《なら》んでいた灰原《はいばら》が列《れつ》から外《はず》れて、店舗《てんぽ》の方《ほう》へ歩《ある》いていく。

「おい、どこ行《い》くんだ？」

「すぐ戻《もど》るわ」

灰原《はいばら》は振《ふ》り返《かえ》らずに手《て》を振《ふ》ると、『フサエキャンベル』というジュエリー店《てん》に向《む》かった。

店頭《てんとう》に置《お》かれた看板《かんばん》には、新作限定《しんさくげんてい》アクセサリーの写真《しゃしん》と販売整理券配布《はんばいせいりけんはいふ》の案内《あんない》が書《か》かれていて、大勢《おおぜい》の人《ひと》が並《なら》んでいる。その最後尾《さいこうび》に灰原《はいばら》も並《なら》んだ。

「ありがとうございます」

灰原《はいばら》の前《まえ》に並《なら》んでいた女性《じょせい》が、店員《てんいん》から整理券《せいりけん》を受《う》け取《と》った。灰原《はいばら》に気《き》づいた店員《てんいん》が「どうぞ」と整理券《せいりけん》を差《さ》し出《だ》す。

「ありがとう」

灰原《はいばら》が受《う》け取《と》った整理券《せいりけん》を嬉《うれ》しそうに見《み》つめていると、店員《てんいん》は灰原《はいばら》の後《うし》ろに並《なら》ぶ客《きゃく》たちに言《い》った。

「はい、以上《いじょう》で『限定《げんてい》ブローチ』販売整理券配布《はんばいせいりけんはいふ》は終了《しゅうりょう》となります」

「えーッ！」

灰原《はいばら》の後《うし》ろに並《なら》んでいた三人《さんにん》は、いっせいに声《こえ》を上《あ》げた。

「ヤダ〜　残念《ざんねん》！」「ねー」

二人《ふたり》はすぐに立《た》ち去《さ》っていったが、着物姿《きものすがた》の老婦人《ろうふじん》は一歩前《いっぽまえ》に出《で》て店員《てんいん》に近《ちか》づいた。

「本当《ほんとう》にどうにもなりませんの？　電車《でんしゃ》で一時間《いちじかん》かけて参《まい》りましたのに……」

「誠《まこと》に申《もう》し訳《わけ》ございません。数量限定《すうりょうげんてい》のお品《しな》となっております」

店員《てんいん》に頭《あたま》を下《さ》げられた老婦人《ろうふじん》は、ため息《いき》をつく。

そばで一部始終《いちぶしじゅう》を見《み》ていた灰原《はいばら》は、持《も》っていた整理券《せいりけん》に目《め》を落《お》とした。

「わかりました……」

老婦人《ろうふじん》はしょんぼりと肩《かた》を落《お》として、踵《きびす》を返《かえ》した。

コナン達《たち》と一緒《いっしょ》に米花百貨店《べいかひゃっかてん》に来《き》ていた蘭《らん》と鈴木園子《すずきそのこ》は、二階《にかい》の通路《つうろ》を歩《ある》いていた。

「待《ま》って！」

吹《ふ》き抜《ぬ》けになった一階《いっかい》から聞《き》き覚《おぼ》えのある声《こえ》がして、園子《そのこ》は下《した》を覗《のぞ》いた。すると、灰原《はいばら》が着物姿《きものすがた》の老婦人《ろうふじん》に近《ちか》づいて、持《も》っていた紙《かみ》を差《さ》し出《だ》す。

「これ、どうぞ」

整理券《せいりけん》を差《さ》し出《だ》された老婦人《ろうふじん》は、えっと驚《おどろ》いて、すぐにニッコリと微笑《ほほえ》んだ。

「まぁ、いいのよそんな」

「……実《じつ》は値段《ねだん》ちゃんと見《み》てなくて、私《わたし》には高《たか》かったから」

灰原《はいばら》がドジなふりをすると、老婦人《ろうふじん》は「まぁ」と驚《おどろ》いて、フフフ……と笑《わら》った。

販売整理券《はんばいせいりけん》を老婦人《ろうふじん》に渡《わた》した灰原《はいばら》は、その足《あし》で中央《ちゅうおう》ホールに戻《もど》った。

すると、福引所《ふくびきじょ》のそばで元太達《げんたたち》がどんよりと落《お》ち込《こ》んでいた。

「その様子《ようす》じゃ、どうやら外《はず》れたようね」

「全員《ぜんいん》もれなくな」

落《お》ち込《こ》んでいる元太達《げんたたち》のそばにいたコナンは、参加賞《さんかしょう》でもらった仮面《かめん》ヤイバーのお菓子《かし》を見《み》せた。


米花百貨店《べいかひゃっかてん》を出《で》たコナン達《たち》は、阿笠博士《あがさはかせ》の家《いえ》に寄《よ》った。阿笠博士《あがさはかせ》は地下《ちか》の工作室《こうさくしつ》にいて、コナンは福引《ふくびき》が全員外《ぜんいんはず》れたことを報告《ほうこく》した。

「ガビョ〜ン！　ダメじゃったのか〜」

子供達《こどもたち》と同《おな》じく一等《いっとう》のホエールウォッチングを狙《ねら》っていた阿笠博士《あがさはかせ》は、ガックリと肩《かた》を落《お》とし、残念《ざんねん》そうに頭《あたま》をかいた。

「せっかく間《ま》に合《あ》わせたんじゃがな……」

「え？」

「あれじゃよ」

阿笠博士《あがさはかせ》は背後《はいご》にある大《おお》きな水槽《すいそう》を示《しめ》した。水槽《すいそう》の中《なか》には、サメの頭《あたま》の形《かたち》をした水中《すいちゅう》スクーターが固定《こてい》されている。

「水中《すいちゅう》スクーターじゃ。市販《しはん》のものとは違《ちが》って自動運転機能《じどううんてんきのう》はあるし、三十《さんじゅう》メートル以上《いじょう》潜《もぐ》れるぞい！」

「すごーい！」

「うおおおお！」

「カッコイイですね！」

子供達《こどもたち》は目《め》を輝《かがや》かせながら、水槽《すいそう》のガラスに顔《かお》をつけて覗《のぞ》く。

「おいおい、三十《さんじゅう》メートルは危《あぶ》ねーって」

コナンが突《つ》っ込《こ》むと、阿笠博士《あがさはかせ》はチッチッチッと人差《ひとさ》し指《ゆび》を振《ふ》った。

「そう言《い》われると思《おも》っての。ジャジャーン！　海中《かいちゅう》ヘッドセットじゃ！」

と、太《ふと》いボールペンのような形《かたち》をした小型《こがた》エアタンクを口《くち》にくわえ、デスクにあったゴーグルのようなものを装着《そうちゃく》した。ゴーグルからはイヤホンが伸《の》びて、耳《みみ》の穴《あな》にぴったりと収《おさ》まっている。

「減圧症《げんあつしょう》になりにくいエアタンクと、無線《むせん》を一《ひと》つにした優《すぐ》れ物《もの》じゃ。しかも、水中《すいちゅう》スクーターのヘッドは着《き》せ替《か》え可能《かのう》なんじゃぞい！」

小型《こがた》エアタンクを口《くち》から外《はず》した阿笠博士《あがさはかせ》は、デスクからカメとイルカの形《かたち》をした着《き》せ替《か》えヘッドを持《も》ってきた。

「おぉ、博士《はかせ》スゲー！」

「イルカさん、かわいい！」

「カメもいいですねー」

子供達《こどもたち》が盛《も》り上《あ》がる中《なか》、コナンはハハ……と乾《かわ》いた笑《わら》いを漏《も》らした。同《おな》じくあきれ顔《がお》の灰原《はいばら》と目《め》が合《あ》うと、灰原《はいばら》はやれやれと両手《りょうて》を広《ひろ》げる。

すると突然《とつぜん》ドアが開《あ》いて、園子《そのこ》と蘭《らん》が入《はい》ってきた。

「おー、盛《も》り上《あ》がってんねー」

園子《そのこ》は水中《すいちゅう》スクーターで盛《も》り上《あ》がる子供達《こどもたち》を見渡《みわた》すと、一同《いちどう》の前《まえ》で立《た》ち止《ど》まった。

「ねぇ、みんな。八丈島《はちじょうじま》のホエールウォッチング、行《い》きたいんでしょ？」

「え、なんでそれを？」

「エスパーか!?」

ビックリしている子供達《こどもたち》を前《まえ》に、園子《そのこ》はフフンと得意《とくい》げに微笑《ほほえ》む。

「園子《そのこ》のお父《とう》さんのホテルが、八丈島《はちじょうじま》にあるんだって」

蘭《らん》の言葉《ことば》に、コナンは顔《かお》を引《ひ》きつらせた。

(来《く》ると思《おも》ったぜ、この展開《てんかい》……)

「もしかして……」

「ボク達《たち》を……」

「連《つ》れてってくれんのか⁉」

子供達《こどもたち》が前《まえ》のめりになってたずねると、園子《そのこ》は灰原《はいばら》に近《ちか》づき、かがんで灰原《はいばら》の頭《あたま》に手《て》を置《お》いた。

「あのねぇ、これはこの子《こ》へのご褒美《ほうび》だからね」

「え……？」

きょとんとする灰原《はいばら》の頭《あたま》から手《て》を離《はな》し、園子《そのこ》は体《からだ》を起《お》こしてウインクした。

「ちょっとすましたガキだと思《おも》ってたけど、優《やさ》しいとこあるじゃん」

米花百貨店《べいかひゃっかてん》で老婦人《ろうふじん》に販売整理券《はんばいせいりけん》を譲《ゆず》ったところを見《み》られていたのだ。

灰原《はいばら》はなんだか気恥《きは》ずかしくなって、プイッと顔《かお》をそむけた。

その頃《ころ》。阿笠邸《あがさてい》の隣《となり》に建《た》つ工藤邸《くどうてい》では、二階《にかい》の一室《いっしつ》で沖矢昴《おきやすばる》がイヤホンをつけていた。

『あのー、それは子供達《こどもたち》だけのご褒美《ほうび》でしょうか？』

『もちろん博士《はかせ》も引率役《いんそつやく》として来《き》てもらいます』

『やったー！』

『よかったね、博士《はかせ》』

沖矢《おきや》はイヤホンから流《なが》れてくる会話《かいわ》を聴《き》きながら、持《も》ち上《あ》げたスマホの画面《がめん》に目《め》を向《む》けた。

ロック画面《がめん》には、受信《じゅしん》したメールの本文《ほんぶん》が表示《ひょうじ》されている。

【犯人《はんにん》はピンガ】

沖矢《おきや》は、その短《みじか》い文章《ぶんしょう》を細《ほそ》めた目《め》でじっと見《み》つめた。

2

東京《とうきょう》・竹芝客船《たけしばきゃくせん》ターミナルと伊豆諸島《いずしょとう》を結《むす》ぶ大型《おおがた》フェリーは、白《しろ》い水尾《みお》を引《ひ》きながら大《おお》海原《うなばら》を進《すす》んでいた。揺《ゆ》れる海面《かいめん》に陽光《ようこう》が跳《は》ねて、イエローオーカーとオリーブのツートンカラーにペイントされた船体《せんたい》を鮮《あざ》やかに輝《かがや》かせる。

甲板《かんぱん》に出《で》ていた歩美達《あゆみたち》が手《て》すりから顔《かお》を出《だ》すと、進行方向《しんこうほうこう》に高《たか》い山《やま》がそびえる島《しま》が見《み》えてきた。

「あ、見《み》えた！　八丈島《はちじょうじま》！」

「スゲェ！　でっけぇ山《やま》がある！」

光彦《みつひこ》は手《て》すりから顔《かお》を引《ひ》っ込《こ》め、ポケットから地図《ちず》を取《と》り出《だ》して広《ひろ》げた。

「確《たし》か……八丈富士《はちじょうふじ》っていう山《やま》ですよ」

「おー！」「ホントだー！」

地図《ちず》を取《と》り囲《かこ》んで盛《も》り上《あ》がる三人《さんにん》をよそに、引率組《いんそつぐみ》の毛利《もうり》小《こ》五郎《ごろう》と阿笠博士《あがさはかせ》は近《ちか》くのデッキ席《せき》でくつろいでいた。

「なんでも島酒《しまざけ》というスゲェうまそうな酒《さけ》があるそうですなぁ」

「ほお……」

蘭《らん》と園子《そのこ》はデッキ席《せき》のそばにいた。二人並《ふたりなら》んで手《て》すりに手《て》をかけ、海《うみ》を眺《なが》めている。

「そーいや蘭《らん》、旦那《だんな》は？」

「え？　ああ……新一《しんいち》、事件《じけん》で来《こ》られないんだって」

蘭《らん》が答《こた》えると、園子《そのこ》は蘭《らん》の方《ほう》に向《む》き直《なお》り、ニシシ……と笑《わら》った。

「あら、『旦那《だんな》』は否定《ひてい》しないんだ」

頬《ほお》を真《ま》っ赤《か》にした蘭《らん》は、「チョップ！」と園子《そのこ》の頭《あたま》に軽《かる》く空手《からて》チョップをお見舞《みま》いした。

「もぉ、やめてよー」

「うひひひ、ヒューヒュー」

園子《そのこ》の冷《ひ》やかす声《こえ》が、デッキ席《せき》に座《すわ》るコナンのところまで聞《き》こえてくる。

（しっかり来《き》てるっつーの）

頬杖《ほおづえ》をついていたコナンは、横目《よこめ》で二人《ふたり》をチラリと見《み》ながら心《こころ》の中《なか》でつぶやいた。

約十時間《やくじゅうじかん》の船旅《ふなたび》を経《へ》て八丈島《はちじょうじま》に到着《とうちゃく》したコナン達《たち》は、別《べつ》の貨物船《かもつせん》で運《はこ》んだ阿笠博士《あがさはかせ》のビートルとレンタカーに分《わ》かれて、鈴木財閥《すずきざいばつ》が所有《しょゆう》するベルツリーホテルへ向《む》かった。

ビートルの助手席《じょしゅせき》には元太《げんた》、後部座席《こうぶざせき》には灰原《はいばら》、コナン、歩美《あゆみ》、光彦《みつひこ》が座《すわ》り、子供達《こどもたち》は窓《まど》から雄大《ゆうだい》な景色《けしき》を眺《なが》めた。

「八丈富士《はちじょうふじ》、でっけぇー」

「スゴーイ！」

子供達《こどもたち》と反対側《はんたいがわ》の窓際《まどぎわ》に座《すわ》っていた灰原《はいばら》は、景色《けしき》に目《め》を向《む》けることなく、イヤホンを耳《みみ》につけて手元《てもと》のスマホを見《み》つめている。

「何見《なにみ》てんだ？」

コナンがたずねると、灰原《はいばら》は顔《かお》を上《あ》げた。

「ここの近《ちか》くに、インターポールの新《あたら》しい施設《しせつ》ができたんだって」

そう言《い》って片方《かたほう》のイヤホンを外《はず》し、コナンの耳《みみ》に突《つ》っ込《こ》む。

『はい。世界中《せかいじゅう》の警察《けいさつ》が持《も》つ防犯《ぼうはん》カメラを繋《つな》いだ世界初《せかいはつ》の施設《しせつ》、それが〈パシフィック・ブイ〉です』

灰原《はいばら》が見《み》ていたのは、ニュース番組《ばんぐみ》だった。『パシフィック・ブイ特集《とくしゅう》』と表示《ひょうじ》された大型《おおがた》モニターの前《まえ》には、ハの字《じ》に並《なら》べられたカウンターにスーツを着《き》た男性《だんせい》キャスターやゲストが並《なら》んでいる。

『防犯《ぼうはん》カメラの画像《がぞう》を元《もと》に、世界中《せかいじゅう》で〈顔認証《かおにんしょう》〉が可能《かのう》とか？』

キャスターが質問《しつもん》すると、反対側《はんたいがわ》のカウンターに座《すわ》った男性《だんせい》が答《こた》える。

『ええ。その開発者《かいはつしゃ》である彼女《かのじょ》も、パシフィック・ブイの一員《いちいん》として参加《さんか》します』

男性《だんせい》は隣《となり》に座《すわ》る女性《じょせい》に顔《かお》を向《む》けた。カメラがズームアップして、髪《かみ》を後《うし》ろで束《たば》ねた若《わか》い女性《じょせい》の姿《すがた》を大《おお》きく捉《とら》える。

その聡明《そうめい》な顔立《かおだ》ちをした女性《じょせい》に、灰原《はいばら》は目《め》を留《と》めた。

「この人《ひと》……どこかで……」

スマホの画面《がめん》をじっと見《み》つめる灰原《はいばら》を、コナンは不思議《ふしぎ》そうな顔《かお》で見《み》た。

海岸沿《かいがんぞ》いの道路《どうろ》を走《はし》り続《つづ》けると、やがてベルツリーホテルの看板《かんばん》が現《あらわ》れた。

「お！　ここじゃ」

ビートルとレンタカーは脇道《わきみち》に入《はい》り、坂《さか》を上《のぼ》っていく。すると、生《お》い茂《しげ》る木々《きぎ》の隙間《すきま》から建物《たてもの》が見《み》えた。

「お！　でっけぇホテル！」

「わ～素敵《すてき》！」

「キレイですね～」

目《め》を輝《かがや》かせる子供達《こどもたち》の隣《となり》で、コナンは何《なに》げなくホテルのエントランスに目《め》を向《む》けた。するとエントランスの柱《はしら》の横《よこ》で、スーツ姿《すがた》の男性《だんせい》が電話《でんわ》をしていた。白鳥任三郎警部《しらとりにんざぶろうけいぶ》だ。

(なんで白鳥警部《しらとりけいぶ》が……？)

ビートルはエントランス前《まえ》を横切《よこぎ》り、駐車場《ちゅうしゃじょう》に向《む》かう。白鳥《しらとり》に気《き》づいたのは、コナンだけだった。

ホテルのエントランスホールに入《はい》ると、巨大《きょだい》なクジラのオブジェが出迎《でむか》えてくれた。波《なみ》しぶきを上《あ》げて大《おお》きくジャンプするクジラのそばには、イルカやカメの姿《すがた》もある。

「でっけークジラ！」

「カメもいますね」

「イルカさん、かわいい～」

子供達《こどもたち》がオブジェに夢中《むちゅう》になっていると、チェックインを済《す》ませた園子《そのこ》がやってきた。

「じゃあみんな、部屋《へや》に荷物置《にもつお》いたら、一時間後《いちじかんご》にまたここに集合《しゅうごう》ね！」

「はぁーい！」

子供達《こどもたち》は素直《すなお》に返事《へんじ》をして、一同《いちどう》はそれぞれの客室《きゃくしつ》に向《む》かった。

コナンは蘭《らん》と同《おな》じ部屋《へや》だった。部屋《へや》に入《はい》ったコナンは、ホテルのエントランスで白鳥《しらとり》を見《み》かけたことを蘭《らん》に伝《つた》えた。

「白鳥警部《しらとりけいぶ》が？ 見間違《みまちが》いじゃないの？」

「ううん、確《たし》かに白鳥警部《しらとりけいぶ》だったよ」

「ふうん……何《なに》かしらね」

蘭《らん》は大《たい》して気《き》に留《と》めていないようだった。そのとき、ポケットに入《い》れたコナンのスマホが震《ふる》えた。取《と》り出《だ》して画面《がめん》を見《み》ると、沖矢《おきや》からの着信《ちゃくしん》だった。

コナンは部屋《へや》のバルコニーに出《で》て、通話《つうわ》ボタンをタップする。

『そろそろ八丈島《はちじょうじま》に着《つ》いた頃《ころ》だと思《おも》ってね』

電話《でんわ》の向《む》こうから聞《き》こえてきたのは、穏《おだ》やかな声《こえ》だった。

『ボウヤはドイツのフランクフルトに〈ユーロポール・防犯《ぼうはん》カメラ・ネットワークセンター〉があるのを知《し》っているかな』

「うん。それがどうしたの？」

『そこに最近《さいきん》、何者《なにもの》かが侵入《しんにゅう》してね。その侵入者《しんにゅうしゃ》を目撃《もくげき》したユーロポールの職員《しょくいん》が、ジンに殺《ころ》された』

「ジンに⁉」

コナンがその名前《なまえ》を口《くち》にしたとたん、バルコニーに風《かぜ》が吹《ふ》き抜《ぬ》けた。

『奴等《やつら》の組織《そしき》に潜入捜査《せんにゅうそうさ》しているキールからの情報《じょうほう》だ』

「じゃあその侵入者《しんにゅうしゃ》って、黒《くろ》ずくめの……」

『ああ。髪《かみ》をコーンロウに編《あ》み上《あ》げた奴《やつ》で、コードネームは〈ピンガ〉。ラムに気《き》に入《い》られていると聞《き》いたことがある』

ピンガ――それは初《はじ》めて聞《き》くコードネームだった。頭全体《あたまぜんたい》の髪《かみ》を細《こま》かい編《あ》み込《こ》みにした後《うし》ろ姿《すがた》を思《おも》い浮《う》かべる。

「……どうしてそれをボクに？」

コナンがたずねると、電話《でんわ》の向《む》こうの沖矢《おきや》は一瞬《いっしゅん》の間《ま》を置《お》いた。

『今日《きょう》、そのセンターと回線《かいせん》を繋《つな》いで本格始動《ほんかくしどう》するのが、その近《ちか》くにある〈パシフィック・ブイ〉だ。君《きみ》なら気《き》になると思《おも》ってね』

そこで突然《とつぜん》、通話《つうわ》は切《き》れた。

「あ、赤井《あかい》さん⁉」

不意《ふい》に通話《つうわ》を切《き》られたコナンは、思《おも》わず本当《ほんとう》の名前《なまえ》を呼《よ》んでしまった。ツーツーという終話音《しゅうわおん》が聞《き》こえてきて、終話《しゅうわ》ボタンをタップする。

コナンはバルコニーの前《まえ》に広《ひろ》がる青《あお》い海《うみ》を見《み》つめた。波《なみ》はそれほど高《たか》くなく、吹《ふ》きつける風《かぜ》も穏《おだ》やかだ。

(……ジン。ウォッカ、コルン、アイリッシュ、ピスコ、テキーラ。そして、ピンガ)

コナンは黒《くろ》ずくめの組織《そしき》のメンバーを思《おも》い浮《う》かべた。

(蒸留酒《じょうりゅうしゅ》の名前《なまえ》がついたメンバーは、全《すべ》て男《おとこ》。そして、ピンガはラムと同《おな》じ原料《げんりょう》の酒《さけ》……)

そう思《おも》ったとたん、胸《むね》の奥《おく》がざわついた。

(嫌《いや》な予感《よかん》がする)

コナンが険《けわ》しい表情《ひょうじょう》で海《うみ》を見《み》つめていると、再《ふたた》び強《つよ》い風《かぜ》が吹《ふ》きつけて、髪《かみ》を乱暴《らんぼう》にあおった。

準備《じゅんび》をととのえ、一時間後《いちじかんご》にホテルのエントランスホールに集合《しゅうごう》したコナン達《たち》は、ホエールウォッチングの船《ふね》が出港《しゅっこう》する八重根漁港《やえねぎょこう》に向《む》かった。

船《ふね》に乗《の》る前《まえ》に、全員《ぜんいん》にライフジャケットが配《くば》られた。子供達《こどもたち》は互《たが》いに手伝《てつだ》いながら、ライフジャケットを身《み》に着《つ》ける。最後《さいご》に、歩美《あゆみ》がライフジャケットの襟《えり》ぐりからプハッと顔《かお》を出《だ》した。

「ありがとう！」

子供達《こどもたち》のそばでは、蘭《らん》がコナンのライフジャケットのベルトを締《し》めていた。

「はい、これで大丈夫《だいじょうぶ》」

全員《ぜんいん》がライフジャケットを着用《ちゃくよう》したところで、停《と》まっているクルーザーからツアーガイドの丑尾寛治《うしおかんじ》が近《ちか》づいてきた。長《なが》めの髪《かみ》に帽子《ぼうし》を被《かぶ》り無精《ぶしょう》ひげを伸《の》ばした丑尾《うしお》は、片手《かたて》をズボンのポケットに突《つ》っ込《こ》み、反対《はんたい》の手《て》にはタブレットを持《も》っている。丑尾《うしお》はライフジャケットを着《き》たコナン達《たち》を数《かぞ》えて、

「あれ？　九人《きゅうにん》と聞《き》いてますが……あと一人《ひとり》は？」

と、持《も》っていたタブレットの画面《がめん》を見《み》せた。タブレットには、ツアー参加者《さんかしゃ》の名簿《めいぼ》が表示《ひょうじ》されていて、小五郎《こごろう》の名前《なまえ》もあった。

「……欠席《けっせき》でお願《ねが》いします」

蘭《らん》が怒《いか》りでわなわなと肩《かた》を震《ふる》わせながら言《い》った。そばにいた園子《そのこ》がアハハと笑《わら》う。

「酔《よ》っぱらいは邪魔《じゃま》なんで」

「え？　もう？」

光彦《みつひこ》が驚《おどろ》くと、阿笠博士《あがさはかせ》が「ベロンベロンじゃ」と苦笑《にがわら》いした。

どうやらホテルに着《つ》いて早々《そうそう》、島酒《しまざけ》をしこたま飲《の》んで、酔《よ》っ払《ぱら》って寝《ね》てしまったらしい。

(さすがおっちゃん……)

コナンが心《こころ》の中《なか》でつぶやくと、丑尾《うしお》は眉間《みけん》にしわを寄《よ》せて、

「……では、どうぞ」

と、クルーザーの方《ほう》へ歩《ある》き出《だ》した。

クルーザーに乗《の》り込《こ》んだ丑尾《うしお》は、子供達《こどもたち》から順番《じゅんばん》に乗《の》せていった。歩美《あゆみ》の体《からだ》をヒョイと持《も》ち上《あ》げ、デッキへ下《お》ろす。

「次《つぎ》の方《かた》」

「はい」

クルーザーの前《まえ》に並《なら》んでいた蘭《らん》が前《まえ》に進《すす》む。その後《うし》ろに並《なら》んでいたコナンも足《あし》を進《すす》めようとしたとき、船《ふね》のエンジン音《おん》が聞《き》こえてきた。海《うみ》の方《ほう》を見《み》ると、停泊《ていはく》する漁船《ぎょせん》の向《む》こうから船《ふね》が出《で》てきた。その船体《せんたい》に書《か》かれた『警視庁《けいしちょう》』の文字《もじ》を見《み》て、コナンは「えっ」と目《め》

を見開《みひら》く。

すぐにメガネのつるのスイッチを押《お》し、右《みぎ》レンズの望遠鏡《ぼうえんきょう》機能《きのう》を起動《きどう》させて船《ふね》を見《み》た。

ゆっくりと進《すす》む警備艇《けいびてい》のデッキに、白鳥《しらとり》と黒田兵衛《くろだひょうえ》管理官《かんりかん》の姿《すがた》があった。白鳥《しらとり》がドアを開《あ》け、二人《ふたり》は船内《せんない》へ入《はい》っていく。

白鳥《しらとり》と黒田《くろだ》の姿《すがた》を確認《かくにん》したコナンは、クルーザーに背《せ》を向《む》けて走《はし》り出《だ》した。後《うし》ろに並《なら》んでいた阿笠博士《あがさはかせ》の横《よこ》をすり抜《ぬ》ける。

「ゴメン、博士《はかせ》。ごまかしといて」

「え？」

阿笠博士《あがさはかせ》は驚《おどろ》いて、コナンが走《はし》っていった方《ほう》を振《ふ》り返《かえ》った。

「博士《はかせ》、どうしたの？」

クルーザーのそばに立《た》っていた園子《そのこ》に訊《き》かれて、阿笠博士《あがさはかせ》は慌《あわ》てて向《む》き直《なお》った。

「え、いや……ク、クジラってどう吠《ほ》えるのかなって……」

と、ごまかしながら、横目《よこめ》で後《うし》ろを見《み》る。走《はし》っていったコナンの姿《すがた》は、漁港《ぎょこう》の隅《すみ》に停《と》まっていた軽《けい》トラックに隠《かく》れて見《み》えなくなっていた。

軽《けい》トラックの陰《かげ》から走《はし》ってきたコナンは、岸壁《がんぺき》に置《お》かれた木箱《きばこ》を足場《あしば》にして大《おお》きくジャンプし、停泊中《ていはくちゅう》の漁船《ぎょせん》に飛《と》び乗《の》った。狭《せま》い甲板《かんぱん》を一直線《いっちょくせん》に駆《か》け抜《ぬ》け、船首《せんしゅ》で強《つよ》く踏《ふ》み切《き》って、目《め》の前《まえ》を進《すす》む警備艇《けいびてい》に飛《と》びうつる。船尾《せんび》のステップに着地《ちゃくち》したコナンは、手《て》すりに手《て》をかけ、誰《だれ》もいないのを確認《かくにん》すると甲板《かんぱん》に上《あ》がった。

「え〜!?」

「間違《まちが》えて違《ちが》う船《ふね》に乗《の》っちゃった——!?」

最後《さいご》にクルーザーに乗《の》り込《こ》んだ阿笠博士《あがさはかせ》は、前方《ぜんぽう》デッキにいる蘭達《らんたち》に、コナンが誤《あやま》って違《ちが》う船《ふね》に乗《の》ってしまったと嘘《うそ》をついた。

「コナンって、抜《ぬ》けたとこあるよな」

「あるかな……」

「心配《しんぱい》ですね」

嘘《うそ》を信《しん》じた子供達《こどもたち》の表情《ひょうじょう》が沈《しず》む。阿笠博士《あがさはかせ》は慌《あわ》ててスマホを取《と》り出《だ》し、コナンからのメールを見《み》せた。

「あ、でも白鳥警部《しらとりけいぶ》が一緒《いっしょ》みたいじゃから……ほら、あとでホテルに送《おく》ってもらうって」

阿笠博士《あがさはかせ》がメールを読《よ》むと、操舵室《そうだしつ》の前《まえ》でタブレットを操作《そうさ》していた丑尾《うしお》が顔《かお》を上《あ》げた。

「もう、コナン君《くん》は……」

子供達《こどもたち》と一緒《いっしょ》にメールを読《よ》んだ蘭《らん》は、あきれ顔《がお》でため息《いき》をつく。

阿笠博士《あがさはかせ》の嘘《うそ》を信《しん》じなかったのは、灰原《はいばら》だけだった。

(間違《まちが》えて、ねぇ……)

灰原《はいばら》は心《こころ》の中《なか》でつぶやきながら、チラリと海《うみ》の方《ほう》を見《み》た。


漁港《ぎょこう》を出発《しゅっぱつ》した警備艇《けいびてい》は、外海《そとうみ》に出《で》ると突然《とつぜん》にスピードを上《あ》げて、勢《いきお》いよく進《すす》んだ。

デッキにあったビニールシートの中《なか》に隠《かく》れていたコナンが、スマホの地図《ちず》アプリで確認《かくにん》すると、現在地《げんざいち》を示《しめ》す赤《あか》いアイコンが八丈島《はちじょうじま》から西《にし》の方角《ほうがく》へとゆっくり進《すす》んでいた。コナンはスマホの画面《がめん》で指《ゆび》を滑《すべ》らせ、船《ふね》が進《すす》む方向《ほうこう》の地図《ちず》を表示《ひょうじ》した。

(情報《じょうほう》が出《で》てない……)

船《ふね》が進《すす》む先《さき》は島《しま》も何《なに》もなく、果《は》てしない大海原《おおうなばら》が広《ひろ》がるばかりだ。

(やっぱりこの船《ふね》は〈パシフィック・ブイ〉に向《む》かってるんだ)

コナンがビニールシートに隠《かく》れながらスマホを操作《そうさ》しているとき、操舵室《そうだしつ》には白鳥《しらとり》と黒《くろ》田《だ》がいた。操縦士《そうじゅうし》の後《うし》ろにある座席《ざせき》に腕組《うでぐ》みをして座《すわ》っていた黒田《くろだ》は、コナンが隠《かく》れているデッキの方《ほう》を一瞥《いちべつ》した。

その頃《ころ》。蘭達《らんたち》を乗《の》せたクルーザーの目《め》の前《まえ》で、ザトウクジラの巨体《きょたい》が海面《かいめん》に躍《おど》り上《あ》がった。体《からだ》をのけぞらせて飛《と》び上《あ》がったザトウクジラは、背中《せなか》から着水《ちゃくすい》して巨大《きょだい》な水柱《みずばしら》を上《あ》げる。

「きゃああ！」

「ははは」

「おお～！」

激《はげ》しい水《みず》しぶきがデッキに降《ふ》りかかり、蘭達《らんたち》は声《こえ》を上《あ》げた。

さらに海面《かいめん》が盛《も》り上《あ》がったかと思《おも》うと、ザトウクジラの巨大《きょだい》な尾《お》びれが出現《しゅつげん》した。尾《お》びれを高《たか》く上《あ》げて、海面《かいめん》を何度《なんど》も叩《たた》きつける。

「きゃあ～！」

「マジ、すげー!!」

子供達《こどもたち》は水《みず》しぶきを浴《あ》びながらも、夢中《むちゅう》でザトウクジラの姿《すがた》を追《お》った。元太《げんた》は双眼鏡《そうがんきょう》を覗《のぞ》き、光彦《みつひこ》はデジカメで写真《しゃしん》を撮《と》る。

「きゃあ〜、冷《つめ》たいね！」

歩美《あゆみ》が隣《となり》の灰原《はいばら》を見《み》ると、

「本当《ほんとう》ね」

灰原《はいばら》は楽《たの》しそうにうなずいた。

3

警備艇《けいびてい》が何《なに》もない広大《こうだい》な外海《そとうみ》をひたすら進《すす》んでいくと、やがて海《うみ》に浮《う》かぶ巨大《きょだい》な建造物《けんぞうぶつ》が見《み》えてきた。

建造物《けんぞうぶつ》から浮《う》き桟橋《さんばし》が伸《の》びていて、警備艇《けいびてい》は速度《そくど》を緩《ゆる》めて近《ちか》づいた。桟橋《さんばし》に警備艇《けいびてい》が横《よこ》づけされて、黒田《くろだ》と白鳥《しらとり》が降《お》りてくる。

「これはすごい……」

桟橋《さんばし》に立《た》った白鳥《しらとり》は、目《め》の前《まえ》の巨大《きょだい》な建造物《けんぞうぶつ》を見上《みあ》げてつぶやいた。

「ものすごい大《おお》きさですね」

すると、前《まえ》を歩《ある》いていた黒田《くろだ》が突然《とつぜん》立《た》ち止《ど》まった。

「そろそろ聞《き》かせてもらえるかな」

「……は？」

きょとんとする白鳥《しらとり》の背後《はいご》を、黒田《くろだ》がジロリとにらむ。

「なぜ、我々《われわれ》と一緒《いっしょ》に来《き》たのか――」

「！」

警備艇《けいびてい》から降《お》りて階段《かいだん》の陰《かげ》に隠《かく》れていたコナンは、ビクリと肩《かた》を上《あ》げた。

気《き》づかれていたのか――コナンは顔《かお》を隠《かく》していたライフジャケットを下《さ》げて、ハハハ……と笑《わら》った。

コナンの姿《すがた》を見《み》つけた白鳥《しらとり》が、ギョッと目《め》を丸《まる》くする。

「コナン君《くん》！　なんで!?」

ライフジャケットを抱《かか》えたコナンは、小走《こばし》りで白鳥《しらとり》の元《もと》へ近寄《ちかよ》った。

「クジラを見《み》に行《い》くお船《ふね》と間違《まちが》えて乗《の》っちゃった」

「なんですぐ言《い》わなかったの！」

「だって、怒《おこ》られると思《おも》って……」

コナンがしょんぼりしてみせると、白鳥《しらとり》は慌《あわ》てて上着《うわぎ》のポケットからスマホを取《と》り出《だ》した。

「船《ふね》を呼《よ》び戻《もど》します！」

「よせ。ユーロポールを待《ま》たせたくない」

黒田《くろだ》はそう言《い》うと、建造物《けんぞうぶつ》へ歩《ある》き出《だ》した。まさかの反応《はんのう》に、白鳥《しらとり》がぽかんと立《た》ち尽《つ》くす。

コナンも、こんなにあっさり『パシフィック・ブイ』に入《はい》るのを許《ゆる》されるとは思《おも》いもしなかった。

黒田《くろだ》と白鳥《しらとり》について歩《ある》いていくと、桟橋《さんばし》の先《さき》で二人《ふたり》のスタッフらしき人物《じんぶつ》が待《ま》っていた。

「遠《とお》いところ、お疲《つか》れ様《さま》でした」

二人《ふたり》の男女《だんじょ》は、揃《そろ》って頭《あたま》を下《さ》げた。

「初《はじ》めまして。パシフィック・ブイ局長《きょくちょう》の牧野《まきの》です」

「エンジニアの直美《なおみ》・アルジェントです」

コナンは牧野《まきの》と直美《なおみ》の顔《かお》に見覚《みおぼ》えがあった。二人《ふたり》は、灰原《はいばら》がビートルの中《なか》で見《み》ていたニュース番組《ばんぐみ》に出《で》ていたのだ。

「警視庁《けいしちょう》の白鳥《しらとり》と、上司《じょうし》の黒田《くろだ》です」

「初《はじ》めまして」

白鳥《しらとり》に紹介《しょうかい》された黒田《くろだ》は、軽《かる》く一礼《いちれい》した。

「本日《ほんじつ》はよろしくお願《ねが》いします。で……」

牧野《まきの》は白鳥《しらとり》のそばに立《た》つコナンを手《て》で示《しめ》した。

「この子《こ》が間違《まちが》えて乗船《じょうせん》してしまったという……」

困惑気味《こんわくぎみ》にコナンを見《み》る牧野《まきの》の横《よこ》で、直美《なおみ》が身《み》をかがめて話《はな》しかけた。

「こんにちは！　お名前《なまえ》なんていうの？」

「ボク、江戸川《えどがわ》コナン。よろしくね！」

「コナン君《くん》ね。よろしく」

直美《なおみ》はニッコリと微笑《ほほえ》んだ。

初対面《しょたいめん》の挨拶《あいさつ》が済《す》むと、牧野《まきの》と直美《なおみ》はさっそくパシフィック・ブイへ案内《あんない》した。

「この先《さき》にパシフィック・ブイの入《い》り口《ぐち》があるんだよ」

コナンは長《なが》い階段《かいだん》を上《あ》がる直美《なおみ》を追《お》い越《こ》して、屋上《おくじょう》へ一番乗《いちばんの》りをした。

「わぁ〜！　広《ひろ》――い!!」

巨大《きょだい》な正方形《せいほうけい》をした屋上《おくじょう》にはヘリポートがあり、真《ま》ん中《なか》にはヘリポートより遥《はる》かに大《おお》きな円形《えんけい》のプールのような穴《あな》があった。穴《あな》には海水《かいすい》が溜《た》まっている。

「大《おお》きい……穴《あな》？」

「ここが入《い》り口《ぐち》なの。見《み》てて」

直美《なおみ》が言《い》うと、ザザザ……と音《おと》がして、水面《すいめん》が波立《なみだ》ち始《はじ》めた。みるみるうちに水面《すいめん》が盛《も》り上《あ》がったかと思《おも》うと、そこから建物《たてもの》がせり上《あ》がってきた。

「！」

高《たか》くせり上《あ》がった建物《たてもの》から海水《かいすい》が流《なが》れ落《お》ち、ヘリポートに立《た》っていたコナンたちに水《みず》しぶきがかかる。

「すっげ……」

コナンは水《みず》しぶきを受《う》けながら、目《め》の前《まえ》に現《あらわ》れた円錐台形《えんすいだいけい》の建物《たてもの》を見上《みあ》げた。

「これがエントランス部分《ぶぶん》です。実《じつ》は施設《しせつ》の大半《たいはん》は海中《かいちゅう》にあるんです」

牧野《まきの》はそう説明《せつめい》すると、エントランスに向《む》かって歩《ある》き出《だ》した。

「バラストタンクで浮《う》き沈《しず》みする仕組《しく》みで、波《なみ》の力《ちから》をコントロールしています。海中《かいちゅう》にあるのは、膨大《ぼうだい》な量《りょう》のサーバーを冷《ひ》やすためでもあります」

「まるで海《うみ》に浮《う》かぶブイだね」

コナンが言《い》うと、直美《なおみ》が微笑《ほほえ》んでうなずく。

「だから『パシフィック・ブイ』って呼《よ》ばれているのよ」

コナン達《たち》はエントランスの奥《おく》にあるエレベータに乗《の》った。エレベータが降下《こうか》すると、ガラス張《ば》りのエレベータシャフトから海中《かいちゅう》が見《み》えてきて、

「わぁ～！」

「おお！」

コナンと白鳥《しらとり》はガラスの壁《かべ》に顔《かお》を近《ちか》づけた。

「メインルームはこの下《した》になります」

「ねぇ、あれは？」

コナンは海中《かいちゅう》でゆっくりと回《まわ》る巨大《きょだい》なリングを指差《ゆびさ》した。直美《なおみ》がコナンの後《うし》ろで腰《こし》をかがめ、コナンが指差《ゆびさ》した方《ほう》を見《み》る。

「ああ、潮《しお》の流《なが》れで発電《はつでん》するリングよ。この辺《あた》りは黒潮《くろしお》が強《つよ》くてね」

金属音《きんぞくおん》が鳴《な》って、エレベータの扉《とびら》が開《ひら》いた。

「この階《かい》はスタッフ用《よう》の居住《きょじゅう》エリアになっています。メインルームは通路《つうろ》の先《さき》です」

コナン達《たち》はエレベータから降《お》りると、牧野《まきの》を先頭《せんとう》に縦並《たてなら》びで歩《ある》いた。海《うみ》の中《なか》の施設《しせつ》とは思《おも》えないほどの空間《くうかん》が広《ひろ》がっていて、コナンは白鳥《しらとり》の後《うし》ろでキョロキョロと周囲《しゅうい》を見回《みまわ》しながら歩《ある》く。すると突然《とつぜん》、どこからか不気味《ぶきみ》な音《おと》が響《ひび》いた。

「ん？　これは？」

音《おと》に気《き》づいた白鳥《しらとり》がたずねると、牧野《まきの》の後《うし》ろを歩《ある》いていた直美《なおみ》が振《ふ》り返《かえ》った。

「クジラの鳴《な》き声《ごえ》です。ザトウクジラは歌《うた》うクジラですから」

「ソナーが探知《たんち》したの？」

帽子《ぼうし》を取《と》りながらコナンが言《い》うと、直美《なおみ》が「えっ」と目《め》を見開《みひら》いた。

「スゴイ！　コナン君《くん》って物知《ものし》りなのね！」

褒《ほ》められたコナンは、エヘヘと子供《こども》っぽく笑《わら》ってみせた。

パシフィック・ブイには音波《おんぱ》によって物体《ぶったい》を探知《たんち》するソナーの設備《せつび》があって、ザトウクジラの歌《うた》がソナーを通《つう》じて響《ひび》いたのだ。

通路《つうろ》をしばらく歩《ある》いていくと、その先《さき》に大《おお》きな扉《とびら》が現《あらわ》れた。

「ご足労《そくろう》おかけしました。こちらがメインルームになります」

扉《とびら》が両側《りょうがわ》に静《しず》かに開《ひら》く。最初《さいしょ》に目《め》に飛《と》び込《こ》んできたのは、すり鉢状《ばちじょう》になった部屋《へや》の中央《ちゅうおう》にある巨大《きょだい》モニターだった。

「おお、広《ひろ》い……」

眼前《がんぜん》に広《ひろ》がる大空間《だいくうかん》に、白鳥《しらとり》が思《おも》わず声《こえ》を漏《も》らす。

天井近《てんじょうちか》くまである巨大《きょだい》モニターを取《と》り囲《かこ》むようにコンピュータを制御《せいぎょ》するコンソールがずらりと並《なら》べられ、壁面《へきめん》の強化《きょうか》ガラスからはライトアップされた海中《かいちゅう》のパノラマが広《ひろ》がっている。

「では、メインスタッフを紹介《しょうかい》させてください」

巨大《きょだい》モニターのそばまで階段《かいだん》で下《お》りてきた牧野《まきの》が言《い》うと、一番近《いちばんちか》くのコンソールについていたスタッフが立《た》ち上《あ》がった。

「フランス出身《しゅっしん》のグレース」

ウエーブのかかった柔《やわ》らかい髪《かみ》に大《おお》きなメガネをかけ、首元《くびもと》にスカーフを巻《ま》いた女性《じょせい》が
「コンニチワ〜」と愛想《あいそ》よく手《て》を振《ふ》る。

「ドイツ出身《しゅっしん》のレオンハルト」

牧野《まきの》は、奥《おく》のコンソールで大《おお》きな背《せ》をかがめてキーボードを打《う》つ男性《だんせい》を手《て》で示《しめ》した。レオンハルトは横目《よこめ》でチラリと白鳥《しらとり》たちを見《み》ると、角刈《かくが》りの頭《あたま》を軽《かる》く下《さ》げる。

「インド出身《しゅっしん》のエド」

巨大《きょだい》モニターを挟《はさ》んで反対側《はんたいがわ》のコンソールについた男性《だんせい》が立《た》ち上《あ》がった。

「よろしく」

軽《かる》く頭《あたま》を下《さ》げたエドは、ぎょろりとした大《おお》きな目《め》でコナンを訝《いぶか》しそうに見《み》る。すると、直美《なおみ》が自分《じぶん》のコンソールに向《む》かい、椅子《いす》をくるりとコナン達《たち》の方《ほう》に向《む》けて座《すわ》った。

「あとは私《わたし》、直美《なおみ》・アルジェント」

「以上《いじょう》のエンジニアが任務《にんむ》に当《あ》たっています」

牧野《まきの》が全員《ぜんいん》の紹介《しょうかい》を終《お》えると、白鳥《しらとり》が「あの……」と声《こえ》をかけた。

「これは日本全国《にほんぜんこく》にある警察《けいさつ》の防犯《ぼうはん》カメラですか？」

白鳥《しらとり》が指差《ゆびさ》した巨大《きょだい》モニターには、無数《むすう》のカメラ映像《えいぞう》が映《うつ》し出《だ》されていた。細《こま》かく分割《ぶんかつ》されたモニターに映《うつ》った国内《こくない》の街頭映像《がいとうえいぞう》が、目《め》まぐるしく切《き》り替《か》わる。

「ええ。これに今日《きょう》、ヨーロッパ中《じゅう》の防犯《ぼうはん》カメラが繋《つな》がれるんです。今後《こんご》は世界中《せかいじゅう》のカメラが接続予定《せつぞくよてい》です」

「さすがインターポールの施設《しせつ》だ」

白鳥《しらとり》が感心《かんしん》したように言《い》うと、奥《おく》のコンソールから「そうだ！」と声《こえ》がした。

「ここはインターポールだ。なのになんで日本《にっぽん》の警察《けいさつ》がいる！」

キーボードから顔《かお》を上《あ》げたレオンハルトは、白鳥《しらとり》たちをにらみつけた。

「フランクフルトで侵入事件《しんにゅうじけん》があったからでしょ」

グレースの言葉《ことば》に、レオンハルトは「ケッ！」とそっぽを向《む》いた。グレースが軽《かる》くため息《いき》をつく。

「うちも何《なに》かあったときのために、警視庁《けいしちょう》に来《き》てもらったんだ」

牧野《まきの》が言《い》うと、レオンハルトは不機嫌《ふきげん》そうな顔《かお》を向《む》けた。

「最新技術《さいしんぎじゅつ》を日本《にっぽん》の警察《けいさつ》にだけ公開《こうかい》するなんて、不公平《ふこうへい》じゃないか！」

「日本《にっぽん》はインターポールの加盟国《かめいこく》だ。必要《ひつよう》があれば技術《ぎじゅつ》を提供《ていきょう》するのは当然《とうぜん》だ」

レオンハルトはフンと鼻《はな》を鳴《な》らした。

「ここのトップが日本人《にほんじん》だから、日本《にっぽん》びいきってわけか」

「なっ……！」

牧野《まきの》が眉根《まゆね》を寄《よ》せると同時《どうじ》に、直美《なおみ》が立《た》ち上《あ》がった。

「いいかげんにして。それを言《い》うなら私《わたし》の母《はは》だって日本人《にほんじん》よ」

「どうりでいけ好《す》かない女《おんな》だと思《おも》った」

「！」

直美《なおみ》の顔《かお》つきが変《か》わった。詰《つ》め寄《よ》るように一歩前《いっぽまえ》に出《で》る。

「今《いま》の言葉《ことば》は撤回《てっかい》しなさい。人種差別《じんしゅさべつ》よ。それにあなた――」

「あのさぁ、そろそろ時間《じかん》じゃない？」

巨大《きょだい》モニターの時計《とけい》を見《み》たエドが言《い》った。牧野《まきの》が「あ！」と腕時計《うでどけい》を見《み》る。

「総員《そういん》、配置《はいち》につけ！」

にらみ合《あ》った直美《なおみ》とレオンハルトは、仕方《しかた》なく互《たが》いのコンソールに向《む》かった。グレースも自分《じぶん》の席《せき》に戻《もど》っていく。牧野《まきの》は黒田達《くろだたち》に歩《あゆ》み寄《よ》って、ばつが悪《わる》そうに頭《あたま》を下《さ》げた。

「すみません。レオンハルトはここに来《く》るまでヨーロッパ各国《かっこく》の警察《けいさつ》といろいろあったらしくて」

牧野《まきの》の話《はなし》を聞《き》いたコナンは、巨大《きょだい》モニターを振《ふ》り返《かえ》った。

(警察《けいさつ》と……)

巨大《きょだい》モニターを取《と》り囲《かこ》むように並《なら》んだコンソールには、直美《なおみ》たち以外《いがい》にも大勢《おおぜい》の技術者《ぎじゅつしゃ》がついていて、皆一様《みないちよう》にキーボードを操作《そうさ》している。

「ファーストアクセス!」

巨大《きょだい》モニターの時計《とけい》が10:00:00になると、ヨーロッパの警察所管《けいさつしょかん》の防犯《ぼうはん》カメラ映像《えいぞう》が瞬時《しゅんじ》に集《あつ》まった。そして、わずか十秒《じゅうびょう》ほどで『CONNECT《コネクト》(接続《せつぞく》)』の文字《もじ》が表示《ひょうじ》されると、画面《がめん》が切《き》り替《か》わり、ヨーロッパの防犯《ぼうはん》カメラ映像《えいぞう》が次々《つぎつぎ》と映《うつ》し出《だ》された。

イギリスのビッグベンやフランスの凱旋門《がいせんもん》など有名《ゆうめい》な観光地《かんこうち》をはじめ、各国《かっこく》の街頭映像《がいとうえいぞう》が巨大《きょだい》モニターで目《め》まぐるしく切《き》り替《か》わる。その光景《こうけい》は圧巻《あっかん》だった。

「……これで、ヨーロッパ中《じゅう》の防犯《ぼうはん》カメラが確認《かくにん》できるというわけですか」

白鳥《しらとり》がモニターを見上《みあ》げながらつぶやくと、

「それも、『顔認証《かおにんしょう》』付《つ》きでな」

黒田《くろだ》がぼそりと言《い》った。

分割《ぶんかつ》されたモニター画面《がめん》に、一《ひと》つの映像《えいぞう》がクローズアップされた。どこかの国《くに》の深夜《しんや》の街角《まちかど》で、男《おとこ》が若者二人《わかものふたり》に銃《じゅう》を突《つ》きつけている。するとその下《した》に、若者二人《わかものふたり》の顔画像《かおがぞう》が出《で》てきた。二人《ふたり》の顔《かお》にいくつものマーカーがつけられたかと思《おも》うと、瞬時《しゅんじ》に、二人《ふたり》の身分証明書《みぶんしょうめいしょ》の写真《しゃしん》、名前《なまえ》、住所《じゅうしょ》が表示《ひょうじ》される。

「他《ほか》にも様々《さまざま》な技術《ぎじゅつ》が使《つか》えます」

白鳥達《しらとりたち》の後《うし》ろで自分《じぶん》の席《せき》についた牧野《まきの》は、キーボードを操作《そうさ》した。

「その一《ひと》つ、直美《なおみ》が作《つく》った『老若認証《ろうにゃくにんしょう》』をさっそくテストします」

「老若認証《ろうにゃくにんしょう》……？」

白鳥《しらとり》が眉《まゆ》をひそめると、コンソールについていた直美《なおみ》がクルリと振《ふ》り返《かえ》った。

「私《わたし》はイタリア人《じん》の父《ちち》と日本人《にほんじん》の母《はは》の間《あいだ》に生《う》まれ、アメリカで育《そだ》ちました。私《わたし》の子供《こども》の頃《ころ》の写真《しゃしん》でテストします」

再《ふたた》びコンソールに向《む》いた直美《なおみ》は、キーボードを操作《そうさ》した。すると、巨大《きょだい》モニターに映《うつ》る各地《かくち》の防犯《ぼうはん》カメラ映像《えいぞう》の手前《てまえ》に、何枚《なんまい》かの家族写真《かぞくしゃしん》が表示《ひょうじ》された。一枚《いちまい》は、ガレージのついた一軒家《いっけんや》の前《まえ》に両親《りょうしん》と幼《おさな》い直美《なおみ》とレトリーバー犬《けん》がいる。レトリーバー犬《けん》に舐《な》められている直美《なおみ》の顔《かお》がマーキングされたかと思《おも》うと、他《ほか》の写真《しゃしん》の直美《なおみ》の顔《かお》も次々《つぎつぎ》とマーキングされて、画面《がめん》の中央《ちゅうおう》に小《ちい》さな頭蓋骨《ずがいこつ》が出現《しゅつげん》した。

「骨格《こっかく》から老化《ろうか》や若返《わかがえ》りを計算《けいさん》し、その顔《かお》をCG《シージー》で作《つく》り、それと合致《がっち》する顔《かお》を『顔認証《かおにんしょう》』で探《さが》す。これが『老若認証《ろうにゃくにんしょう》』です」

幼少期《ようしょうき》の直美《なおみ》の顔《かお》から計算《けいさん》された頭蓋骨《ずがいこつ》が出《で》てきたかと思《おも》うと、それが徐々《じょじょ》に成人《せいじん》の頭《ず》蓋骨《がいこつ》へと成長《せいちょう》し、さらにその頭蓋骨《ずがいこつ》が肉付《にくづ》けされていった。眼球《がんきゅう》が入《はい》って肌《はだ》の色《いろ》が変《か》わると、その横《よこ》に様々《さまざま》な角度《かくど》の顔《かお》が表示《ひょうじ》されて、その下《した》に表示《ひょうじ》されている日本《にっぽん》の防犯《ぼうはん》カメラ映《えい》像《ぞう》がものすごい速《はや》さで流《なが》れていく。そのいくつかのウインドウの枠《わく》に色《いろ》がついた。

「今日《きょう》、警察庁《けいさつちょう》からここに来《く》るまで、防犯《ぼうはん》カメラに映《うつ》った私《わたし》です」

直美《なおみ》が言《い》うとおり、枠《わく》に色《いろ》がついたウインドウの防犯《ぼうはん》カメラ映像《えいぞう》には、直美《なおみ》が映《うつ》っていた。警察庁《けいさつちょう》の廊下《ろうか》を歩《ある》く直美《なおみ》、官庁街《かんちょうがい》を歩《ある》く直美《なおみ》の後《うし》ろ姿《すがた》、そしてパシフィック・ブイの入《い》り口前《ぐちまえ》を牧野《まきの》と歩《ある》く姿《すがた》。それぞれの映像《えいぞう》に映《うつ》る直美《なおみ》がマーキングされて、別《べつ》ウインドウにクローズアップした顔画像《かおがぞう》が出《で》ると、『老若認証一致《ろうにゃくにんしょういっち》』という文字《もじ》が現《あらわ》れた。そして直《なお》美《み》の身分証明書《みぶんしょうめいしょ》の写真《しゃしん》や名前《なまえ》、生年月日《せいねんがっぴ》、住所《じゅうしょ》などあらゆる個人情報《こじんじょうほう》データが表示《ひょうじ》される。

「長期《ちょうき》の逃亡者《とうぼうしゃ》や誘拐《ゆうかい》の被害者《ひがいしゃ》を、世界中《せかいじゅう》で追《お》うことができるシステムです」

牧野《まきの》が誇《ほこ》らしい表情《ひょうじょう》を浮《う》かべて言《い》った。

「すごい……すごいシステムだ……」

ただただ圧倒《あっとう》される白鳥《しらとり》のそばで、コナンは険《けわ》しい顔《かお》で巨大《きょだい》モニターを見《み》つめていた。

(確《たし》かにスゲェけど……)

幼少期《ようしょうき》の顔《かお》と成人期《せいじんき》の顔《かお》を同一人物《どういつじんぶつ》として照合《しょうごう》できるという『老若認証《ろうにゃくにんしょう》』。確《たし》かに画期《かっき》的《てき》なシステムだけれど、もしそれでコナンや灰原《はいばら》が調《しら》べられたら……。

「十五分《じゅうごふん》の休憩《きゅうけい》のあと、引《ひ》き続《つづ》き各設備《かくせつび》のテストに入《はい》る」

牧野《まきの》の声《こえ》で、室内《しつない》に漂《ただよ》う緊張《きんちょう》が解《と》かれた。何人《なんにん》かの技術者《ぎじゅつしゃ》は席《せき》から立《た》ち上《あ》がり、メインルームを出《で》て行《い》く。

「皆《みな》さん、コーヒーはいかがですか」

直美《なおみ》が席《せき》から立《た》ち上《あ》がり、後《うし》ろを振《ふ》り返《かえ》った。しかし、白鳥《しらとり》と黒田《くろだ》は牧野《まきの》と話《はな》し込《こ》んでいて、直美《なおみ》の声《こえ》に気《き》づいていない。

「ボク、聞《き》いてくるね」

コナンは白鳥達《しらとりたち》のところへ行《い》き、コーヒーを飲《の》むかどうかたずねた。そして直美《なおみ》とグレースのところへ戻《もど》ってきて、

「あ、砂糖《さとう》入《い》りをこれだけ」

と、右手《みぎて》の親指《おやゆび》と人差《ひとさ》し指《ゆび》を立《た》てる。

「OK《オーケー》、砂糖《さとう》入《い》りコーヒーを一《ひと》つね」

グレースが確認《かくにん》すると、直美《なおみ》が「二《ふた》つよ」と言《い》った。

「コナン君《くん》はジュースでいい？」

「んと、アイスコーヒーってある？」

「コーヒー好《す》きなの？　いいわよ」

「ありがとう。ボク、お手伝《てつだ》いするね」

コナンは、直美《なおみ》とグレースと共《とも》にメインルームを出《で》て行《い》った。

その頃《ころ》。ドライスーツにタンクを背負《せお》った二人《ふたり》が、パシフィック・ブイに向《む》かって海《うみ》の中《なか》を泳《およ》いでいた。海中《かいちゅう》にある大《おお》きな丸《まる》い扉《とびら》の前《まえ》にたどり着《つ》くと、一人《ひとり》がスマホを取《と》り出《だ》した。完全防水《かんぜんぼうすい》ケースに収《おさ》められた青色《あおいろ》LED光通信《エルイーディーひかりつうしん》スマホだ。メール画面《がめん》に【到着《とうちゃく》】と打《う》

ち込《こ》み、送信《そうしん》する。

するとややあって、丸《まる》い扉《とびら》が外側《そとがわ》に開《ひら》き始《はじ》めた。二人《ふたり》は扉《とびら》の先《さき》にあるドライデッキに入《はい》っていく。

再《ふたた》び一人《ひとり》が、スマホのメール画面《がめん》に【侵入《しんにゅう》】と打《う》ち込《こ》んで送信《そうしん》すると、丸《まる》い扉《とびら》が閉《し》まった。すると、ドライデッキを満《み》たしていた海水《かいすい》がみるみるうちに減《へ》っていく。海水《かいすい》が排出《はいしゅつ》されると、二人《ふたり》はレギュレーターやダイビングマスクを外《はず》した。

ダイビングマスクの下《した》から現《あらわ》れたのは、ベルモットとバーボンの顔《かお》だった。二人《ふたり》は濡《ぬ》れた髪《かみ》をかき上《あ》げたり絞《しぼ》ったりすると、ドライデッキの前《まえ》の部屋《へや》に進《すす》んだ。そして、ロッカーに入《はい》っていた清掃員《せいそういん》の制服《せいふく》に着替《きが》える。

清掃員《せいそういん》に変装《へんそう》したバーボンは、清掃《せいそう》カートを押《お》しながら廊下《ろうか》を歩《ある》いた。後《うし》ろには同《おな》じく清掃員《せいそういん》の制服《せいふく》に帽子《ぼうし》を被《かぶ》り、マスクをしたベルモットがいる。

廊下《ろうか》の曲《ま》がり角《かど》から、外国人女性《がいこくじんじょせい》が四《よっ》つの紙《かみ》コップを載《の》せたトレイを持《も》って出《で》てきた。さらに続《つづ》いて、紙《かみ》コップを両手《りょうて》に持《も》ったコナンが出《で》てくる。

「あれ？　直美《なおみ》さんは？」

「トイレよ。先《さき》に戻《もど》りましょ」

「あ、はーい」

コナンは先《さき》に進《すす》む外国人女性《がいこくじんじょせい》を追《お》いかけた。バーボンとベルモットの横《よこ》を小走《こばし》りで通《とお》り過《す》ぎていく。

二人《ふたり》は帽子《ぼうし》のつばの下《した》に半分隠《はんぶんかく》れた目《め》で、コナンの後《うし》ろ姿《すがた》を追《お》った。

（なぜここに……？）

（シルバーブレット……）


トイレの個室《こしつ》から出《で》てきた直美《なおみ》は、洗面台《せんめんだい》で手《て》を洗《あら》った。蛇口《じゃぐち》を閉《し》めて、洗面台《せんめんだい》の鏡《かがみ》を見《み》る。すると、背後《はいご》に清掃員《せいそういん》が映《うつ》っていた。

振《ふ》り返《かえ》った瞬間《しゅんかん》、清掃員《せいそういん》に扮《ふん》したベルモットが直美《なおみ》の首《くび》に手刀《てがたな》を叩《たた》き込《こ》んだ。

気絶《きぜつ》してその場《ば》に倒《たお》れる直美《なおみ》を、ベルモットの後《うし》ろにいたバーボンが受《う》け止《と》める。


メインルームでは、コナンからコーヒーを受《う》け取《と》った白鳥《しらとり》と黒田《くろだ》が、牧野《まきの》の席《せき》で話《はなし》を続《つづ》けていた。

「やぁ、すごかったです、『老若認証《ろうにゃくにんしょう》』」

「顔《かお》の骨格《こっかく》から成長《せいちょう》した顔《かお》を予測《よそく》するというのは、どんな方法《ほうほう》で？」

黒田《くろだ》がたずねると、牧野《まきの》はモニターの方《ほう》を向《む》いてキーボードを操作《そうさ》した。

「確《たし》か、解剖学《かいぼうがく》と統計《とうけい》データで計算《けいさん》するA《エー》I《アイ》を使《つか》ってるとか……詳《くわ》しくは直美《なおみ》に」

そう言《い》って、周囲《しゅうい》を見回《みまわ》して直美《なおみ》の姿《すがた》を捜《さが》す。すると、コーヒーを持《も》って自分《じぶん》の席《せき》に戻《もど》ろうとしていたグレースが立《た》ち止《ど》まった。

「映像《えいぞう》データさえあれば、A《エー》I《アイ》技術《ぎじゅつ》で自動化《じどうか》が可能《かのう》なんです」

「なるほど」

「すばらしい技術《ぎじゅつ》ですね」

説明《せつめい》したグレースはコーヒーを一口《ひとくち》飲《の》むと、紙《かみ》コップについた口紅《くちべに》を親指《おやゆび》で拭《ぬぐ》った。その背後《はいご》では、エドが自分《じぶん》の椅子《いす》の背《せ》もたれに寄《よ》りかかってコーヒーを飲《の》んでいる。

「ミスター牧野《まきの》。休憩時間《きゅうけいじかん》、とっくに終《お》わってるよ」

「ああ、でもその前《まえ》に直美《なおみ》は？」

牧野《まきの》は椅子《いす》から立《た》ち上《あ》がって、直美《なおみ》の席《せき》を見《み》た。コンソールの上《うえ》にコーヒーが置《お》いてあるだけで、直美《なおみ》の姿《すがた》はない。

自分《じぶん》の席《せき》についていたレオンハルトは「……ったく」と指《ゆび》を鳴《な》らした。

「何《なに》やってんだ、あの女《おんな》は」

と、キーボードを操作《そうさ》し、『老若認証《ろうにゃくにんしょう》』システムを起動《きどう》する。コナンが巨大《きょだい》モニターの前《まえ》でアイスコーヒーを飲《の》もうとすると、

「出《で》たぜ」

口《くち》にする前《まえ》に、施設内《しせつない》の防犯《ぼうはん》カメラ映像《えいぞう》が巨大《きょだい》モニターに表示《ひょうじ》された。トイレ前《まえ》の廊下《ろうか》に設置《せっち》された防犯《ぼうはん》カメラの映像《えいぞう》だ。

「十二分前《じゅうにふんまえ》の映像《えいぞう》ね」

モニターに表示《ひょうじ》された日時《にちじ》を見《み》て、グレースが言《い》った。

映像《えいぞう》を逆再生《ぎゃくさいせい》すると、トイレから出《で》てきた直美《なおみ》がマークされ、別《べつ》ウインドウにクローズアップした直美《なおみ》が表示《ひょうじ》される。

「カメラに映《うつ》った姿《すがた》は、これが最後《さいご》だ」

レオンハルトが言《い》うと、さらに新《あら》たなウインドウが出《で》てきて、トイレ前《まえ》の映像《えいぞう》が再生《さいせい》された。帽子《ぼうし》を被《かぶ》った二人《ふたり》の清掃員《せいそういん》が、カートを押《お》してトイレに入《はい》っていくところが映《うつ》る。

「清掃員《せいそういん》が二人入《ふたりはい》っているが、五分後《ごふんご》には出《で》てきてる」

コナンは、清掃員《せいそういん》が押《お》す大《おお》きなカートに注目《ちゅうもく》した。

「あのカートなら、人《ひと》が乗《の》れるね」

「ちょっとこれ見《み》てよ！」

キーボードを操作《そうさ》していたエドが叫《さけ》び、すぐに別《べつ》の防犯《ぼうはん》カメラ映像《えいぞう》が巨大《きょだい》モニターに表示《ひょうじ》された。ドライデッキの前《まえ》にある部屋《へや》の映像《えいぞう》だ。カートを押《お》した清掃員《せいそういん》たちが、扉《とびら》が開《あ》いたドライデッキへ入《はい》っていく。

「ドライデッキに同《おな》じ奴《やつ》らだ！」

「誰《だれ》なんだ、コイツら……」

映像《えいぞう》を見《み》ながら、レオンハルトが険《けわ》しい顔《かお》でつぶやいた。


白鳥《しらとり》と黒田《くろだ》は、牧野《まきの》と一緒《いっしょ》にドライデッキに向《む》かった。コナンも後《あと》をついていく。ドライデッキの前《まえ》にある部屋《へや》には、空《から》になったカートが倒《たお》れていた。白鳥《しらとり》たちはカートの横《よこ》を通《とお》り、ドライデッキの扉前《とびらまえ》に来《き》た。扉《とびら》は固《かた》く閉《と》じられている。

「ここから海《うみ》へ出《で》られるんですね？」

白鳥《しらとり》がたずねると、牧野《まきの》は「ええ」と扉《とびら》に触《ふ》れた。

「部屋《へや》を海水《かいすい》で満《み》たして、外《そと》と水圧《すいあつ》を合《あ》わせたら……。でも、この先《さき》は海《うみ》です。一番近《いちばんちか》い八丈小島《はちじょうこじま》でも五《ご》キロ以上《いじょう》はある。直美《なおみ》は一体《いったい》どこへ……」

扉《とびら》に触《ふ》れながらうつむく牧野《まきの》に、黒田《くろだ》がたずねる。

「この扉《とびら》の制御権限《せいぎょけんげん》は誰《だれ》に？」

「このハッチは直接開《ちょくせつあ》けられますが、海側《うみがわ》のハッチを開《あ》けられるのは私《わたし》と……あとは先《さき》ほど紹介《しょうかい》したエンジニア達《たち》だけです」

「だとすれば、直美《なおみ》さんを拉致《らち》した犯人《はんにん》の共犯者《きょうはんしゃ》が、その中《なか》にいることになる」

淡々《たんたん》と話《はな》す黒田《くろだ》とは逆《ぎゃく》に、牧野《まきの》の表情《ひょうじょう》が険《けわ》しくなる。

「ええ、ですが……」

「とにかく、警視庁《けいしちょう》に臨場要請《りんじょうようせい》します」

白鳥《しらとり》はそう言《い》うと、床《ゆか》に片膝《かたひざ》をついていたコナンの横《よこ》を走《はし》り抜《ぬ》けていった。

コナンは床《ゆか》に手《て》を伸《の》ばした。床《ゆか》は濡《ぬ》れていて、濡《ぬ》れた手《て》をぐっと握《にぎ》りしめる。

(あの短時間《たんじかん》での拉致《らち》……間違《まちが》いない。犯人《はんにん》は直美《なおみ》さんがトイレにいることを知《し》っていた)

すばやく直美《なおみ》を拉致《らち》した犯人《はんにん》は、このドライデッキから海《うみ》へ出《で》て行《い》ったのだ。

(そして、どこへ……)

コナンは目《め》の前《まえ》にある扉《とびら》を見《み》つめた。

4

拉致《らち》された直美《なおみ》は、狭《せま》い二段《にだん》ベッドの下段《げだん》に寝《ね》かされていた。傍《かたわ》らにはベルモットが腰《こし》かけ、さらにベッドの横《よこ》にはバーボンが立《た》って、眠《ねむ》っている直美《なおみ》を見《み》つめている。

ベルモットが直美《なおみ》の着衣《ちゃくい》を調《しら》べていると、直美《なおみ》の胸元《むなもと》からネックレスが見《み》えた。

「あら、カワイイ」平《ひら》たい四角錐形《しかくすいけい》のペンダントトップがついた、シンプルなネックレスだ。ベルモットはネックレスを持《も》ち上《あ》げ、ペンダントトップを調《しら》べた。すると、ペンダントトップの底《そこ》がパチンと外《はず》れて、USB《ユーエスビー》端子《たんし》が現《あらわ》れる。

「へぇ……」

ニヤリとしたベルモットは、眠《ねむ》っている直美《なおみ》を残《のこ》して、別《べつ》の部屋《へや》に移動《いどう》した。

ベルモットが入《はい》ったのはソファセットの置《お》かれた応接室《おうせつしつ》だった。部屋《へや》の隅《すみ》に置《お》かれたデスクには、ノートパソコンやモニターが並《なら》んでいる。ベルモットはデスクチェアに座《すわ》り、ノートパソコンのUSB《ユーエスビー》ポートにネックレスのペンダントトップを差《さ》し込《こ》んだ。ベルモットを囲《かこ》むようにして立《た》っているバーボン、ウォッカ、キールがモニターに目《め》を向《む》ける。

「画像《がぞう》ファイルみたいね」

ノートパソコンに表示《ひょうじ》されたフォルダをダブルクリックすると、『Recognition《レコグニション》（認識《にんしき》）test《テスト》』というファイルが出《で》てきた。さらにそれをダブルクリックすると、画像《がぞう》ファイルが別《べつ》ウインドウで表示《ひょうじ》された。

その場《ば》の全員《ぜんいん》の目《め》が、釘付《くぎづ》けになる。

「これは……ッ」

「シェリー!!」

開《ひら》いた画像《がぞう》ファイルには、二《ふた》つの画像《がぞう》が貼《は》られていた。一《ひと》つは、街中《まちなか》を歩《ある》く宮野志保《みやのしほ》（シェリー）の画像《がぞう》。そしてもう一《ひと》つは、別《べつ》の街中《まちなか》を歩《ある》く灰原《はいばら》の画像《がぞう》だ。

「隣《となり》のガキ……似《に》てるな」

ウォッカが二《ふた》つの画像《がぞう》を見比《みくら》べて言《い》った。

「……子供時代《こどもじだい》のシェリーかしら？」

キールの言葉《ことば》に、ウォッカは「いや」と否定《ひてい》した。

「最新《さいしん》の画像《がぞう》だ。奥《おく》の野郎《やろう》の手元《てもと》を見《み》ろ。最近《さいきん》の機種《きしゅ》だぜ」

灰原《はいばら》の奥《おく》を歩《ある》く青年《せいねん》はスマホを持《も》っていて、それは新《あたら》しい機種《きしゅ》だった。宮野志保《みやのしほ》（シェリー）が子供《こども》の頃《ころ》には存在《そんざい》しないものだ。

「……なるほどね」

意外《いがい》に鋭《するど》いわね——ベルモットはウォッカをチラリと見《み》た。

「……つまり、どういうこと？」

キールがたずねると、ウォッカは改《あらた》めて画像《がぞう》を覗《のぞ》き込《こ》む。

シェリーの顔《かお》と灰原《はいばら》の顔《かお》はそれぞれ赤《あか》い枠《わく》で囲《かこ》まれていた。さらに二《ふた》つの画像《がぞう》の下《した》には、『All《オール》 Ages《エイジズ》 Recognition《レコグニション》（老若認証《ろうにゃくにんしょう》・一致《いっち》）』の文字《もじ》がある。

ウォッカはサングラスの下《した》で目《め》を丸《まる》くした。

「まさか、このガキがシェリー⁉」

それまで黙《だま》って様子《ようす》をうかがっていたバーボンの目《め》が、チラリと動《うご》いた。


フランクフルトにいるジンにウォッカから電話《でんわ》がかかってきたのは、夜《よる》も更《ふ》けた頃《ころ》だった。路肩《ろかた》に停《と》めたポルシェ356A《エー》の運転席《うんてんせき》で、ジンは煙草《たばこ》をふかしていた。助手席《じょしゅせき》ではコルンが自分《じぶん》のスマホをいじっている。

「そいつはなんの冗談《じょうだん》だ、ウォッカ」

興奮《こうふん》した様子《ようす》で電話《でんわ》をかけてきたウォッカの話《はなし》を一通《ひととお》り聞《き》いて、ジンは一蹴《いっしゅう》した。

「シェリーはベルツリー急行《きゅうこう》で死《し》んだはずだ」

ベルツリー急行《きゅうこう》に乗《の》り込《こ》んだバーボンとベルモットが、シェリーを貨物車《かもつしゃ》ごと爆弾《ばくだん》で吹《ふ》っ飛《と》ばしたのだ。バーボンの目《め》の前《まえ》で爆死《ばくし》したと、ベルモットから報告《ほうこく》を受《う》けている。

しかし、ウォッカは一歩《いっぽ》も引《ひ》こうとはしなかった。

『だから、子供《こども》のなりになって生《い》き延《の》びてたんですよ！』

「……子供《こども》？」

『どんなからくりかはわかりやせんが、ただ奴《やつ》は科学者《かがくしゃ》だし、もしかしたら……。なんなら画像《がぞう》を送《おく》りやしょうか？』

「いや」

ジンは即座《そくざ》に断《ことわ》った。

「直接《ちょくせつ》見《み》る。それまでにそのガキを拉致《らち》しておけ」

『えっ？　でもどこにいるかわかりやせんぜ？』

戸惑《とまど》うウォッカの声《こえ》が聞《き》こえてきて、ジンは煙草《たばこ》をくわえたまま口《くち》の端《はし》を上《あ》げた。

「そういう奴《やつ》を見《み》つけるのに相応《ふさわ》しいシステムを、手《て》に入《い》れたばかりだろ？」

ウォッカは受話器《じゅわき》を壁《かべ》に戻《もど》すと、ソファに腰《こし》かけて、ヘヘッと笑《わら》った。

「さすがは兄貴《あにき》だ」

「……さらうつもり？」

ソファの横《よこ》に立《た》ったキールがたずねると、ウォッカの向《む》かいに腰《こし》かけたベルモットが口《くち》を開《ひら》いた。

「私《わたし》はお断《ことわ》り」

「ああっ？」

ウォッカが前《まえ》のめりになると、ベルモットの美《うつく》しい顔《かお》が険《けん》をはらんだ。

「計画《けいかく》にないことはすべきじゃないわ。『老若認証《ろうにゃくにんしょう》』を改《かい》ざんして、過去《かこ》の防犯《ぼうはん》カメラの記録《きろく》から私達《わたしたち》の痕跡《こんせき》を消《け》す。それがボスの命令《めいれい》よ」

「同感《どうかん》ですね」

キールのそばに立《た》つバーボンが言《い》った。

「予定外《よていがい》の動《うご》きは、計画《けいかく》の失敗《しっぱい》を招《まね》きます」

「私《わたし》も遠慮《えんりょ》するわ。こんな状態《じょうたい》だし」

キールはそう言《い》いながら、襟《えり》を広《ひろ》げて包帯《ほうたい》が巻《ま》かれた右肩《みぎかた》を見《み》せた。三人《さんにん》に断《ことわ》られたウォッカは、忌々《いまいま》しそうに鼻《はな》を鳴《な》らす。

「フン、最初《さいしょ》からお前《まえ》らと組《く》むつもりはねぇよ。これはピンガにやらせる」

「あのピンガがあなたの言《い》うことを聞《き》くかしら」

ベルモットが冷静《れいせい》に返《かえ》すと、ウォッカは自信《じしん》ありげに笑《え》みを浮《う》かべた。

「ラムの言《い》うことなら聞《き》くはずだ。かつてラムの片腕《かたうで》だったキュラソー……そのキュラソー亡《な》き今《いま》、ラムの側近《そっきん》に収《おさ》まっているのがピンガだからな」

組織《そしき》のナンバー2であるラム。そのラムの腹心《ふくしん》だったキュラソーは情報収集《じょうほうしゅうしゅう》のスペシャリストだったが、組織《そしき》を裏切《うらぎ》ったため、東都水族館《とうとすいぞくかん》で死《し》んだ——。

バーボンは、テーブルランプの横《よこ》に並《なら》べられた酒瓶《さかびん》を見《み》た。ジンやベルモットなど様々《さまざま》な酒瓶《さかびん》が並《なら》ぶ中《なか》、ラムのすぐ下《した》にピンガの瓶《びん》が置《お》かれている。

バーボンは、そばに立《た》つキールに視線《しせん》を送《おく》った。

「ピンガがラムの言《い》いなりになっているのは、なぜだと思《おも》います？」

「ラムに気《き》に入《い》られて、もっと上《うえ》のランクに上《あ》がるためね」

キールが答《こた》えながらウォッカの方《ほう》を向《む》くと、ウォッカは不満《ふまん》げに眉《まゆ》を寄《よ》せた。

「知《し》ってるよ。人《ひと》を蹴落《けお》としてでも成《な》り上《あ》がりたい野郎《やろう》ってこともな」

ソファから立《た》ち上《あ》がったウォッカは、捨《す》て台詞《ぜりふ》を残《のこ》して部屋《へや》を出《で》て行《い》く。

ウォッカの背中《せなか》を見送《みおく》ったベルモットは、自分《じぶん》の手元《てもと》に視線《しせん》を移《うつ》した。手《て》を上《あ》げて、きれいに塗《ぬ》られたネイルを見《み》つめる。

(じゃあこれも知《し》ってる？　そのピンガが一番《いちばん》蹴落《けお》としたがってるのが、ジンだってこと)

手《て》を下《お》ろしたベルモットは、横目《よこめ》でデスクのモニターを見《み》た。シェリーと灰原《はいばら》の画像《がぞう》が並《なら》んだ老若認証《ろうにゃくにんしょう》の結果画面《けっかがめん》を、険《けわ》しい目《め》で見《み》つめる。

(それにしても、老若認証《ろうにゃくにんしょう》システム……開《あ》けてはならない玉手箱《たまてばこ》かも……)


白鳥《しらとり》らと共《とも》にコントロールルームに戻《もど》ってきた牧野《まきの》は、エンジニアたちに事情《じじょう》を説明《せつめい》した。

「直美《なおみ》が拉致《らち》された!?」

牧野《まきの》の席《せき》に集《あつ》まったグレースの声《こえ》に、他《ほか》の技術者《ぎじゅつしゃ》たちがざわつく。コンソールに肘《ひじ》をついて顔《かお》の前《まえ》で両手《りょうて》を組《く》んだ牧野《まきの》は、目《め》を閉《と》じてうつむいた。

「しかも……我々《われわれ》の中《なか》に犯人《はんにん》の共犯者《きょうはんしゃ》がいるかもしれない」

「なんだそれは！　バカげてる!!」

立《た》ち上《あ》がって叫《さけ》んだのはレオンハルトだった。牧野《まきの》が顔《かお》を上《あ》げる。

「そう。だが我々《われわれ》はインターポールだ。自《みずか》らにかけられた疑《うたが》いは、自《みずか》ら晴《は》らす」

「海中《かいちゅう》ハッチのログを調《しら》べればいいだけでしょ」

自分《じぶん》の席《せき》についていたエドは、うんざりした様子《ようす》でキーボードを操作《そうさ》した。すると巨大《きょだい》モニターに、ドライスーツ姿《すがた》の二人組《ふたりぐみ》が同《おな》じ姿《すがた》の一人《ひとり》を抱《かか》えドライデッキへ入《はい》る映像《えいぞう》と時刻《じ》が表示《ひょうじ》された。さらに別《べつ》ウインドウにシステム操作《そうさ》ログが表示《ひょうじ》されたが、映像時刻《えいぞうじこく》と合致《がっち》する操作時刻《そうさじこく》は見当《みあ》たらない。

「ログは……ないわね」

巨大《きょだい》モニターを見《み》たグレースがつぶやくと、コナンが口《くち》を挟《はさ》んだ。

「じゃあ、外《そと》からハッキングされたってこと？」

椅子《いす》に座《すわ》ったレオンハルトが、驚《おどろ》いてコナンを見《み》る。

（なんだ、あのガキ……）

エドはやれやれといった顔《かお》で、両手《りょうて》を頭《あたま》の後《うし》ろで組《く》んで椅子《いす》の背《せ》もたれに寄《よ》りかかった。

「このシステムは日本警察《にほんけいさつ》やユーロポールと繋《つな》がっている。そこからなら『バックドア』も仕掛《しか》けられるかもな」

「バックドア……」

黒田《くろだ》のつぶやきに、白鳥《しらとり》が応《こた》える。

「ハッキングのために仕掛《しか》ける『裏口《うらぐち》』ですか」

「……狙《ねら》われたということか」

白鳥《しらとり》は意味《いみ》が分《わ》からず、「はい？」と黒田《くろだ》を見《み》た。

「フランクフルトの侵入事件《しんにゅうじけん》。犯人《はんにん》の真《しん》の狙《ねら》いは、パシフィック・ブイがヨーロッパと繋《つな》がる、今日《きょう》だったということだろう」

黒田《くろだ》の言葉《ことば》に、牧野《まきの》がハッとする。

「そうか。コンピュータセキュリティは中《なか》からの攻撃《こうげき》には弱《よわ》いからな……」

そう言《い》いながら、牧野《まきの》は顔《かお》を手《て》で覆《おお》ってうつむいた。

「だとしたら、共犯者《きょうはんしゃ》は今《いま》ユーロポールにいるのでしょうか？」

白鳥《しらとり》の問《と》いに、エドが「いんや」と答《こた》える。

「バックドアが一度《いちど》できたら、世界中《せかいじゅう》どこからでも操作《そうさ》できる」

他人《ひと》ごとのように飄々《ひょうひょう》と話《はな》すエドから、黒田《くろだ》は渋《しぶ》い顔《かお》でうつむく牧野《まきの》に視線《しせん》を移《うつ》した。

「つまり、この中《なか》に共犯者《きょうはんしゃ》がいる可能性《かのうせい》も残《のこ》るというわけですな」

黒田《くろだ》の言葉《ことば》に、誰《だれ》も言《い》い返《かえ》す者《もの》はいなかった。重苦《おもくる》しい空気《くうき》が流《なが》れる。

一連《いちれん》の話《はなし》を聞《き》いていたコナンの頭《あたま》に、黒《くろ》ずくめの組織《そしき》が思《おも》い浮《う》かんだ。

(奴等《やつら》の狙《ねら》いはおそらく『老若認証《ろうにゃくにんしょう》』システム……)

コナンは沖矢《おきや》からの電話《でんわ》を思《おも》い返《かえ》した。

黒《くろ》ずくめの組織《そしき》のメンバーが、フランクフルトのユーロポール・防犯《ぼうはん》カメラ・ネットワークセンターに侵入《しんにゅう》した。侵入者《しんにゅうしゃ》のコードネームは、ピンガ。

(この中《なか》に奴等《やつら》の仲間《なかま》がいるのか、それとも……)

コナンは顎《あご》に手《て》を当《あ》てながら、険《けわ》しい表情《ひょうじょう》をしているエンジニア達《たち》を見《み》た。そのとき、白鳥《しらとり》がスタッフ全員《ぜんいん》に聞《き》こえるように声《こえ》を張《は》り上《あ》げた。

「では、皆《みな》さんにはスマホやパソコンなどの任意提出《にんいていしゅつ》、及《およ》び事情聴取《じじょうちょうしゅ》を受《う》けてもらいます。

——いいですね、牧野局長《まきのきょくちょう》」

「……はい」

うつむいた牧野《まきの》は、仕方《しかた》なさそうに答《こた》えた。

その日《ひ》の夕方《ゆうがた》。到着客《とうちゃくきゃく》と出発客《しゅっぱつきゃく》が混在《こんざい》する八丈島空港《はちじょうじまくうこう》の総合《そうごう》ロビーで、サングラスをかけたベルモットはベンチに座《すわ》り、スマホでメールを打《う》っていた。

『#969#6261』。タッチ音《おん》が〝七《なな》つの子《こ》〟のメロディとなって響《ひび》く。そして、画面《がめん》のキーボードで文字《もじ》を入力《にゅうりょく》していく。

手早《てばや》く打《う》ち終《お》えたメッセージを送信《そうしん》すると、ベルモットはベンチから立《た》ち上《あ》がり、横《よこ》に置《お》いたスーツケースを手《て》に取《と》った。カツカツと靴音《くつおと》を響《ひび》かせながら、搭乗口《とうじょうぐち》へと向《む》かう。

FBI《エフビーアイ》のジョディ達《たち》がフランクフルト空港《くうこう》に到着《とうちゃく》したのは、早朝《そうちょう》だった。到着《とうちゃく》ロビーを出《で》ると、スマホを持《も》ったスーツ姿《すがた》の男性《だんせい》が待《ま》っていた。

「お待《ま》ちしていました。ユーロポールのハンスです」

「朝早《あさはや》くにお迎《むか》えありがとう」

ジョディが礼《れい》を言《い》うと、背後《はいご》にいたキャメルとジェイムズが挨拶《あいさつ》をする。

「初《はじ》めまして。キャメルです」

「ジェイムズです」

ハンスと対面《たいめん》したジョディは、悲《かな》しげにうつむいた。

「……ニーナは残念《ざんねん》だったわ」

「親《した》しかったんですか？」

「ええ。ユーロポールと捜査協力《そうさきょうりょく》したとき、連絡先《れんらくさき》を交換《こうかん》したことがあって……」

ジョディは話《はな》しながら、ニーナのことを思《おも》い出《だ》した。ここフランクフルトで一緒《いっしょ》に捜査《そうさ》をして、ときにはカフェで討論《とうろん》を交《か》わすこともあった。とても優秀《ゆうしゅう》な女性《じょせい》だったのに——。

ハンスもジョディと同《おな》じ気持《きも》ちだった。悔《くや》しそうに眉《まゆ》をひそめて唇《くちびる》を噛《か》みしめる。

「行《い》きましょう。ユーロポール・防犯《ぼうはん》カメラ・ネットワークセンターに案内《あんない》します」

ハンスはそう言《い》うと、停《と》めてある車《くるま》に向《む》かった。

ベルモットが八丈島空港《はちじょうじまくうこう》のロビーにいたのと同《おな》じ夕方《ゆうがた》、警視庁《けいしちょう》のヘリコプターがパシフイック・ブイのヘリポートに着陸《ちゃくりく》した。ヘリコプターから降《お》りてきたのは、目暮十三警部《めぐれじゅうぞうけいぶ》と佐藤美和子警部補《さとうみわこけいぶほ》だ。

二人《ふたり》を出迎《でむか》えた白鳥《しらとり》は、さっそく事情聴取《じじょうちょうしゅ》を始《はじ》めることにした。施設内《しせつない》のカフェスペースで、目暮《めぐれ》と佐藤《さとう》、白鳥《しらとり》と黒田《くろだ》がそれぞれペアになって、エンジニア達《たち》から話《はなし》を聞《き》く。

グレースからの事情聴取《じじょうちょうしゅ》は、目暮《めぐれ》と佐藤《さとう》のペアが担当《たんとう》した。

「グレースさんはいつからこちらに？」

「私《わたし》は五年前《ごねんまえ》に技術職《ぎじゅつしょく》で採用《さいよう》されました」

目暮《めぐれ》の質問《しつもん》に答《こた》えたグレースは、思《おも》いを巡《めぐ》らせるように黙《だま》った。そしてためらいがちに口《くち》を開《ひら》く。

「こんなことが起《お》きた以上《いじょう》、システムの運用《うんよう》をいったん停止《ていし》すべきなんじゃないかと思《おも》うんですが……」

グレースの背後《はいご》にあるプランターボックスの陰《かげ》で、コナンは話《はなし》を聞《き》いていた。

グレースの次《つぎ》は、牧野《まきの》だった。

目暮《めぐれ》と佐藤《さとう》は別《べつ》の席《せき》に移動《いどう》して、牧野《まきの》から話《はなし》を聞《き》いた。コナンも目暮《めぐれ》たちからやや離《はな》れた席《せき》に移動《いどう》して、様子《ようす》をうかがう。

目暮《めぐれ》がパシフィック・ブイの運用《うんよう》を一時中止《いちじちゅうし》するよう提案《ていあん》をすると、

「ダメだ、それは絶対《ぜったい》にできない！」

牧野《まきの》は断固《だんこ》として突《つ》っぱねた。

「いや、しかし……」

「当日《とうじつ》に停止《ていし》など、インターポールの威信《いしん》に関《かか》わる！」

冷静《れいせい》さを失《うしな》い熱《あつ》くなった牧野《まきの》は、テーブルをドンと強《つよ》く叩《たた》いた。


レオンハルトからの事情聴取《じじょうちょうしゅ》は、白鳥《しらとり》と黒田《くろだ》が担当《たんとう》した。

「なんでアンタ等《ら》が取《と》り調《しら》べしてんだよ！」

カフェの席《せき》につくなり、レオンハルトは攻撃的《こうげきてき》な態度《たいど》に出《で》た。が、白鳥《しらとり》は動《どう》じることなく聴取《ちょうしゅ》を続《つづ》ける。

「インターポールに出向《しゅっこう》したのはいつですか？」

「日本警察《にほんけいさつ》だって容疑者《ようぎしゃ》のうちじゃねぇのか！」

レオンハルトは質問《しつもん》には答《こた》えずひたすら怒《いか》りをぶつけるだけで、その怒鳴《どな》り声《ごえ》は隠《かく》れて聞《き》いていたコナンの耳《みみ》にも飛《と》び込《こ》んできた。

エドからの事情聴取《じじょうちょうしゅ》は、自分《じぶん》のコンソールから離《はな》れたくないという本人《ほんにん》のたっての希望《きぼう》で、エドの席《せき》で行《おこな》われた。

白鳥《しらとり》がパシフィック・ブイの運用《うんよう》を一時停止《いちじていし》するよう提案《ていあん》をすると、

「俺《おれ》も停止《ていし》は反対《はんたい》。だってこんなすごいシステムをいじれるんだよ」

エドはコンソールを操作《そうさ》して、モニターに映《うつ》るヨーロッパの街《まち》の映像《えいぞう》を切《き》り替《か》えた。

「以前《いぜん》まで、世界的《せかいてき》なIT《アイティー》企業《きぎょう》におられたそうですが」

黒田《くろだ》の声《こえ》に、作業《さぎょう》をしていたエドの手《て》が止《と》まった。黒田《くろだ》の方《ほう》をチラリと見《み》ると、すぐに前《まえ》を向《む》いてキーボードを操作《そうさ》する。

「こっちの方《ほう》がずっとやりがいあるね。今日《きょう》みたいにエキサイティングな事件《じけん》も見《み》られるし」

コナンは直美《なおみ》のコンソールの下《した》に身《み》を潜《ひそ》めて、エドの話《はなし》を聞《き》いていた。

夜《よる》になり、蘭達《らんたち》はホテルのレストランで食事《しょくじ》をすることにした。

広《ひろ》いレストランの前《まえ》には大《おお》きな池《いけ》があり、ライトアップされた水面《すいめん》が青《あお》く輝《かがや》いて幻想的《げんそうてき》な雰囲気《ふんいき》を醸《かも》し出《だ》している。

園子《そのこ》や小五郎《こごろう》と同《おな》じテーブルについた蘭《らん》は、テラスの先《さき》にあるライトアップされた池《いけ》をうっとりと見《み》つめた。

「ホント、キレイ！　お食事《しょくじ》もおいしいし、雰囲気《ふんいき》も素敵《すてき》だね」

褒《ほ》められた園子《そのこ》は、ニッコリと微笑《ほほえ》む。

「うん、夏《なつ》も――」

「サイコ――!!　カァ～～ッ」

グラスの島酒《しまざけ》を飲《の》み干《ほ》した小五郎《こごろう》が、真《ま》っ赤《か》な顔《かお》を上《あ》げて叫《さけ》んだ。

「……台無《だいな》しだけど」

あきれる園子《そのこ》の隣《となり》で、蘭《らん》が「お父《とう》さん！」と目《め》を吊《つ》り上《あ》げる。

「大《おお》きい声出《こえだ》さないでよ。恥《は》ずかしい！」

レストランの料理《りょうり》は、八丈島《はちじょうじま》の郷土料理《きょうどりょうり》がメインだった。

近海《きんかい》でとれる新鮮《しんせん》な魚介類《ぎょかいるい》をはじめ、メダイやトビウオを使《つか》った島寿司《しまずし》、ブドと呼《よ》ばれる海藻《かいそう》の煮《に》ごこり、さらに明日葉《あしたば》などの島野菜《しまやさい》の天《てん》ぷらがずらりと並《なら》び、隣《となり》のテーブルについた元太達《げんたたち》はもりもり食《た》べた。

「うんめー！　明日葉《あしたば》って苦《にげ》ェんだな」

「本当《ほんとう》ですね」

「このお寿司《すし》、おいしいよ」

わいわい言《い》いながら食《た》べる元太《げんた》たちを前《まえ》にして、コナンと灰原《はいばら》は黙々《もくもく》と料理《りょうり》を食《た》べた。

「で、どこ行《い》ってたの？」

灰原《はいばら》がぼそりとたずねる。

「……パシフィック・ブイってとこ」

コナンが答《こた》えると、灰原《はいばら》はジロリと見《み》た。

「やっぱりね。何《なに》してたの？」

「いや、別《べつ》に……」

目《め》をそらしてごまかすと、向《む》かいに座《すわ》った歩美《あゆみ》が「コナン君《くん》」と声《こえ》をかけた。

「クジラさん、バッシャーンってすごかったんだよ！　クジラのおじさんが、クジラがどこにいるか当《あ》てててくれるの」

嬉《うれ》しそうに報告《ほうこく》する歩美《あゆみ》の隣《となり》で、光彦《みつひこ》が「タブレットで調《しら》べていました」と付《つ》け加《くわ》える。

「クジラのおじさん？」

きょとんとするコナンに、隣《となり》に座《すわ》った阿笠博士《あがさはかせ》が「ほれ」と、スマホを見《み》せた。

「彼《かれ》じゃよ」

スマホの画面《がめん》には、阿笠博士《あがさはかせ》と丑尾《うしお》が船上《せんじょう》で肩《かた》を組《く》んで親指《おやゆび》を立《た》てている写真《しゃしん》が映《うつ》っていた。

「いやぁ～、すっかり意気投合《いきとうごう》してのう」

(なんだよ、この写真《しゃしん》)

コナンがあきれながら見《み》ていると、灰原《はいばら》は軽《かる》く一瞥《いちべつ》してご飯《はん》を食《た》べ始《はじ》めた。写真《しゃしん》を嬉《うれ》しそうに見《み》ていた阿笠博士《あがさはかせ》が、「そうじゃ！」と顔《かお》を上《あ》げる。

「ワシが教《おし》えてもらったクジラ知識《ちしき》で、腹《はら》ごなしの……」

料理《りょうり》をバクバク食《た》べていた子供達《こどもたち》が、ピクリと顔《かお》を上《あ》げた。

「まさか！」

「クジラクイズじゃ～！」

両手《りょうて》を広《ひろ》げてニコニコ微笑《ほほえ》む阿笠博士《あがさはかせ》に、コナンが「腹《はら》ごなしのクイズってなんだよ」

と突《つ》っ込《こ》んだ。

阿笠博士《あがさはかせ》はさっそく思《おも》いついたクイズを出《だ》した。

「皆大好《みんなだいす》き、クジラさん！　では、クジラが怒《おこ》ったかどうか、どこを見《み》ればわかるかな？

一番《いちばん》、耳《みみ》。二番《にばん》、鼻《はな》。三番《さんばん》、口《くち》。四番《よんばん》、目《め》。さあ、どれかのう？」

子供達《こどもたち》はそれぞれ考《かんが》え始《はじ》めた。

「えー？　クジラさんが怒《おこ》ったとき？」

「耳《みみ》、鼻《はな》、口《くち》、目《め》……」

「わかんねーよ。なんかヒントねぇのかよ、コナン」

元太《げんた》から助《たす》け舟《ぶね》を求《もと》められたコナンは、「そうだな」と言《い》った。

「『怒《おこ》る』を別《べつ》の言《い》い方《かた》にするとなんだ？」

コナンとしてはわかりやすいヒントを出《だ》したつもりだったが、子供達《こどもたち》はかえってわからなくなってしまったようで、首《くび》を傾《かし》げてうーんと唸《うな》る。

コナンが別《べつ》のヒントを出《だ》そうとすると、

「吉田《よしだ》さん、怒《おこ》った顔《かお》をやってみて」

灰原《はいばら》が言《い》った。

「怒《おこ》った顔《かお》？　こーお？」

歩美《あゆみ》は不思議《ふしぎ》に思《おも》いながらも、人差《ひとさ》し指《ゆび》で目尻《めじり》を持《も》ち上《あ》げてイーッと口《くち》を横《よこ》に開《ひら》く。

「その指《ゆび》はどこを押《お》さえてる？」

灰原《はいばら》に聞《き》かれて、光彦《みつひこ》は歩美《あゆみ》の顔《かお》を見《み》た。

「目尻《めじり》……ですか？」

「目尻《めじり》は『目《め》くじり』とも言《い》うんだぜ」

コナンの言葉《ことば》に、隣《となり》のテーブルの園子《そのこ》がピンと来《き》た。

「目《め》くじり……あ、そうか！」

「ああ、あの言葉《ことば》ってそこから来《き》てるんだ」

答《こた》えがわかった蘭《らん》も、さりげなくヒントを出《だ》す。

「目《め》くじり……」

とつぶやいて考《かんが》え込《こ》んだ光彦《みつひこ》が「ああー！」と声《こえ》を上《あ》げた。

「『目《め》くじらを立《た》てる』！　答《こた》えは四番《よんばん》の『目《め》』です！」

「ピンポーン！　光彦君《みつひこくん》、正解《せいかい》じゃ！」

阿笠博士《あがさはかせ》が満面《まんめん》の笑《え》みで親指《おやゆび》をグッと立《た》てる。

「やりました！」と拳《こぶし》を突《つ》き上《あ》げる光彦《みつひこ》に、元太《げんた》が「えー」と口《くち》をとがらせた。

「ほとんど答《こた》え教《おし》えてもらったじゃねーかよ」

「それ、元太君《げんたくん》も聞《き》いてたでしょ」

「でもよー」

子供達《こどもたち》が盛《も》り上《あ》がっているのを阿笠博士《あがさはかせ》が微笑《ほほえ》ましく見《み》ていると、

「なあ、博士《はかせ》」

コナンが前《まえ》を向《む》いたまま言《い》った。

「後《あと》でちょっといいか」

「おお、なんか用《よう》かの？」

「いや、ちょっと……」

コナンの隣《となり》で料理《りょうり》を口《くち》に運《はこ》んでいた灰原《はいばら》は、チラリと横目《よこめ》で二人《ふたり》を見《み》た。


夕食《ゆうしょく》を食《た》べ終《お》えたあと、コナンと阿笠博士《あがさはかせ》は子供達《こどもたち》に見《み》つからないようにこっそりホテルを出《で》て、海辺《うみべ》へ続《つづ》く階段《かいだん》を下《お》りた。断崖《だんがい》の中腹《ちゅうふく》にベンチが設置《せっち》されていて、阿笠博士《あがさはかせ》が座《すわ》るとコナンはベンチのそばに立《た》ち、パシフィック・ブイで起《お》きたことを話《はな》した。

「なんじゃと!?」

「声《こえ》がデケーって」

コナンが注意《ちゅうい》すると、阿笠博士《あがさはかせ》は気持《きも》ちを落《お》ち着《つ》かせようと息《いき》を吐《は》いた。

「それは、黒《くろ》ずくめの仕業《しわざ》なのか？」

「オレはそう思《おも》ってる」

「なるほど」

ふいに背後《はいご》から声《こえ》がして、コナンと阿笠博士《あがさはかせ》が後《うし》ろを振《ふ》り返《かえ》ると、階段《かいだん》から灰原《はいばら》が下《お》りてきた。

「そういうことだったのね」

「……どっから聞《き》いてた」

「女性《じょせい》エンジニアがさらわれたってとこから」

灰原《はいばら》の答《こた》えを聞《き》いて、阿笠博士《あがさはかせ》が「全部《ぜんぶ》じゃな……」とコナンに耳打《みみう》ちする。立《た》ち止《ど》まった灰原《はいばら》は、緊張《きんちょう》した面持《おもも》ちでたずねた。

「さらったのは、本当《ほんとう》に組織《そしき》の犯行《はんこう》？」

「可能性《かのうせい》は高《たか》い。だから明日《あした》になったら、すぐ子供達《こどもたち》と帰《かえ》ってくれ」

「ええ、言《い》われなくてもそうするわ。もちろん、あなたも一緒《いっしょ》にね」

いつもの不愛想《ぶあいそう》な口調《くちょう》だったが、その声《こえ》はわずかにうわずっている。

コナンはメガネを外《はず》して灰原《はいばら》に近《ちか》づくと、灰原《はいばら》の顔《かお》に自分《じぶん》のメガネをかけた。

「……なんのつもり？　予備《よび》のメガネなら持《も》ってるけど」

灰原《はいばら》は戸惑《とまど》いながら、予備《よび》のメガネをポケットから取《と》り出《だ》した。

「そのメガネは、博士《はかせ》が最初《さいしょ》に作《つく》った一号機《いちごうき》。言《い》ったろ？　そいつをかけてると正体《しょうたい》が絶《ぜっ》対《たい》バレねぇって」

それは、灰原《はいばら》にかつて言《い》った言葉《ことば》だった。ジンが企《くわだ》てた暗殺計画《あんさつけいかく》を阻止《そし》すべく杯戸《はいど》シティホテルのパーティ会場《かいじょう》に潜《もぐ》り込《こ》んだとき、ジンの影《かげ》に怯《おび》えて弱気《よわき》になった灰原《はいばら》に、コナンは自分《じぶん》のメガネをかけさせて言《い》ったのだ。

「……のわりには、あっさりピスコにバレてさらわれたけど？」

気恥《きは》ずかしさを取《と》り繕《つくろ》うように灰原《はいばら》が茶化《ちゃか》すと、コナンはウッと言葉《ことば》に詰《つ》まった。

「……でも、その後《あと》、助《たす》かったろ？　まあ、お守《まも》りみてーなもんだと思《おも》って、オメーの予《よ》備《び》のメガネと交換《こうかん》しとこうぜ」

そう言《い》って灰原《はいばら》の手《て》から予備《よび》のメガネを取《と》ると、階段《かいだん》の方《ほう》へ歩《ある》いていく。

「さあ、哀君《あいくん》も戻《もど》ろう」

阿笠博士《あがさはかせ》も歩《ある》き出《だ》した。

「……ええ」

灰原《はいばら》はコナンの後《うし》ろ姿《すがた》を見《み》つめると、かけられたメガネをそっと外《はず》した。

（お守《まも》りねぇ……）

心《こころ》の中《なか》でつぶやいた灰原《はいばら》は、どこか嬉《うれ》しげに唇《くちびる》を緩《ゆる》ませた。


コナンがホテルの部屋《へや》に置《お》いていったスマホが鳴《な》った。

誰《だれ》もいない薄暗《うすぐら》い部屋《へや》に、着信音《ちゃくしんおん》が鳴《な》り響《ひび》く。

着信画面《ちゃくしんがめん》には『安室《あむろ》さん』の文字《もじ》が表示《ひょうじ》されていた。

5

夜《よる》も更《ふ》けた頃《ころ》、外国製《がいこくせい》の四輪駆動車《よんりんくどうしゃ》が八丈島《はちじょうじま》の外周道路《がいしゅうどうろ》を走《はし》っていた。

助手席《じょしゅせき》にはスマホを片手《かたて》に持《も》ったウォッカが座《すわ》っている。

「例《れい》のガキをシステムで見《み》つけたそうですぜ」

ウォッカは電話《でんわ》で話《はな》しながら、運転席《うんてんせき》をチラリと見《み》た。髪《かみ》をコーンロウに編《あ》み上《あ》げた男《おとこ》――ピンガがハンドルを握《にぎ》っていて、車《くるま》はベルツリーホテルに続《つづ》く坂道《さかみち》を上《のぼ》っていく。


ベルツリーホテルを囲《かこ》む森林《しんりん》の先《さき》の小高《こだか》い丘《おか》に、廃《すた》れた一軒《いっけん》の建物《たてもの》があった。最上階《さいじょうかい》のガラスを失《うしな》った窓《まど》から、ライフルの銃口《じゅうこう》が覗《のぞ》いている。

「アタイも見《み》つけたよ、ジン」

ベルツリーホテルに銃口《じゅうこう》を向《む》けたキャンティは、スコープを覗《のぞ》きながら言《い》った。

スコープには、客室《きゃくしつ》のデスクでお茶《ちゃ》を飲《の》んでいる灰原《はいばら》が映《うつ》っている。

「まさか八丈島《はちじょうじま》にいたなんて、運《うん》はこっちに向《む》いてるよ」

部屋《へや》でお茶《ちゃ》を飲《の》み終《お》えた灰原《はいばら》は、歩美《あゆみ》が寝《ね》ているベッドに向《む》かった。

すやすやと眠《ねむ》る歩美《あゆみ》の横《よこ》で布団《ふとん》に入《はい》ったが、目《め》が冴《さ》えて眠《ねむ》れない。ベッドの上《うえ》で上半身《じょうはんしん》を起《お》こした灰原《はいばら》は、外《はず》したコナンのメガネを手《て》に取《と》って見《み》つめた。

そのとき、駐車場《ちゅうしゃじょう》の方《ほう》で車《くるま》のドアが閉《し》まる音《おと》がした。

「!!」

灰原《はいばら》はメガネをかけてベッドから下《お》りると、バルコニーに続《つづ》く窓《まど》へ駆《か》け寄《よ》った。カーテンの隙間《すきま》から外《そと》を覗《のぞ》くが、外《そと》は真《ま》っ暗《くら》で何《なに》も見《み》えない。

灰原《はいばら》の心臓《しんぞう》がドクンと大《おお》きく跳《は》ねた。鳥肌《とりはだ》が立《た》ち、毛《け》がピリピリと逆立《さかだ》つ。

さっきから感《かん》じる、殺気立《さっきだ》った気配《けはい》――間違《まちが》いない。彼等《かれら》が来《き》たのだ。

カーテンを慌《あわ》てて閉《し》めた灰原《はいばら》は、振《ふ》り返《かえ》って室内《しつない》を見渡《みわた》した。椅子《いす》にかけてあったカーディガンを取《と》って着込《きこ》み、ドアへ向《む》かって走《はし》り出《だ》す。

「!」

寝息《ねいき》を立《た》てている歩美《あゆみ》に目《め》が留《と》まった。めくれ上《あ》がった布団《ふとん》をそっとかけ直《なお》し、ドアに向《む》かう。ドアノブに手《て》をかけて静《しず》かに引《ひ》くと、部屋《へや》の中《なか》に廊下《ろうか》の明《あ》かりが差《さ》し込《こ》んだ。

開《あ》けたドアの先《さき》に立《た》っていたのは、サングラスをかけた二人《ふたり》の男《おとこ》——ウォッカとピンがだった。

「よぉ」

「……ああ……」

後《あと》ずさりした灰原《はいばら》は、逃《に》げようと走《はし》り出《だ》した。が、すぐにピンガに腕《うで》をつかまれる。

「放《はな》し——」

言《い》い終《お》わらないうちに布《ぬの》で鼻《はな》と口《くち》を塞《ふさ》がれて、気《き》を失《うしな》った。

ホテルの部屋《へや》で着替《きが》えをしていたコナンの耳《みみ》に、探偵《たんてい》バッジから灰原《はいばら》のうめき声《ごえ》が聞《き》こえた。

「灰原《はいばら》!?　くそっ！　まさかッ」

コナンは慌《あわ》てて服《ふく》を着直《きなお》し、デスクの上《うえ》のスマホを取《と》ると、ドアに向《む》かって走《はし》り出《だ》した。

ドアが閉《し》まる音《おと》で、寝《ね》ていた蘭《らん》が目《め》を覚《さ》ます。

部屋《へや》から飛《と》び出《だ》したコナンは、吹《ふ》き抜《ぬ》けの手《て》すりに飛《と》び乗《の》り、吹《ふ》き抜《ぬ》けの向《む》こう側《がわ》にある灰原達《はいばらたち》の部屋《へや》を見《み》た。すると、ドアが開《あ》けっ放《ぱな》しになっていて、さらに歩《ある》いていく黒服《くろふく》姿《すがた》の男《おとこ》が一瞬《いっしゅん》見《み》えた。

「くそっ！」

コナンは手《て》すりから下《お》りて、駆《か》け出《だ》した。阿笠博士《あがさはかせ》に電話《でんわ》をかけながら、吹《ふ》き抜《ぬ》けの回《かい》廊《ろう》を走《はし》る。

「博士《はかせ》！　灰原《はいばら》がさらわれた！」

『なっ、なんじゃと⁉』

コナンは回廊《かいろう》を曲《ま》がり、灰原達《はいばらたち》の部屋《へや》の前《まえ》の廊下《ろうか》に出《で》た。すると、先《さき》ほどの黒服《くろふく》の男《おとこ》が廊《ろう》下《か》の角《かど》を曲《ま》がる姿《すがた》が見《み》えた。ウォッカだ。

（くそっ！　間《ま》に合《あ》わねぇ！）

ウォッカが曲《ま》がった先《さき》は非常口《ひじょうぐち》があり、階段《かいだん》を下《お》りるとすぐ駐車場《ちゅうしゃじょう》に出《で》る。車《くるま》で逃《に》げられたらお終《しま》いだ。

「博士《はかせ》！　車《くるま》を回《まわ》してくれ！」

コナンはドアが開《あ》けっ放《ぱな》しになった灰原達《はいばらたち》の部屋《へや》に入《はい》り、バルコニーに向《む》かった。窓《まど》を開《あ》けてバルコニーに出《で》ると、灰原《はいばら》を抱《かか》えたコーンロウの男《おとこ》とウォッカが車《くるま》に乗《の》り込《こ》もうとするのが見《み》えた。

（コーンロウ……アイツがピンガ！）

後部座席《こうぶざせき》に近《ちか》づいたピンガは、開《ひら》いた窓《まど》から抱《かか》えていた灰原《はいばら》を押《お》し込《こ》む。

（急《いそ》がねえと！）

コナンは伸縮《しんしゅく》サスペンダーを取《と》り出《だ》し、バルコニーの柵《さく》に結《むす》びつけた。ベルトが外《はず》れないか引《ひ》っ張《ぱ》って確認《かくにん》していると、突然《とつぜん》、横《よこ》から何《なに》かが飛《と》び出《だ》した。

それは蘭《らん》だった。

「ハアアアアア！」

柵《さく》に飛《と》び乗《の》った蘭《らん》が大《おお》きくジャンプして、四輪駆動車《よんりんくどうしゃ》のボンネットに着地《ちゃくち》する。

「何《なに》ッ⁉」

驚《おどろ》くピンガの頭《あたま》を狙《ねら》って、蘭《らん》はかかと落《お》としを繰《く》り出《だ》した。しかしギリギリかわされて、すかさず蹴《け》りを放《はな》つ。

「なんだお前《まえ》は！」

「哀《あい》ちゃんを返《かえ》しなさい！」

蘭《らん》は続《つづ》けざまに拳《こぶし》を振《ふ》るったが、すばやい動《うご》きでまたもやかわされた。

コナンは伸縮《しんしゅく》サスペンダーを持《も》って、バルコニーの柵《さく》に飛《と》び乗《の》った。そして飛《と》び降《お》りようとしたとき、横目《よこめ》に何《なに》かの光《ひかり》を捉《とら》えた。

「なんだ⁉」

光《ひか》ったのは、小高《こだか》い丘《おか》にある廃墟《はいきょ》だった。メガネのレンズをズームアップして廃墟《はいきょ》を見《み》ると――最上階《さいじょうかい》の窓《まど》で誰《だれ》かがライフルを構《かま》えている！

「くそっ！　嘘《うそ》だろ⁉」

コナンはサスペンダーを持《も》ったままバルコニーから飛《と》び降《お》りた。

蘭《らん》の拳《こぶし》を肘《ひじ》で受《う》け止《と》めたピンガは、拳《こぶし》を放《はな》った。蘭《らん》が後退《こうたい》してかわし、左足《ひだりあし》で蹴《け》りを入《い》れる。跳《は》ね上《あ》げた左膝《ひだりひざ》で受《う》け止《と》められた蘭《らん》は、空中《くうちゅう》で一回転《いっかいてん》してピンガに回《まわ》し蹴《げ》りを放《はな》った。すんでのところでかわしたピンガが、ナイフを構《かま》える。

蘭《らん》が一瞬《いっしゅん》ひるんだ隙《すき》に、ピンガは水面蹴《すいめんげ》りで蘭《らん》の足《あし》を払《はら》った。

「あっ！」

地面《じめん》に背中《せなか》から倒《たお》れた蘭《らん》は、すぐさま両手《りょうて》をついて飛《と》び起《お》きて、振《ふ》り下《お》ろされるナイフをかわす。

再《ふたた》び対峙《たいじ》した二人《ふたり》だが、蘭《らん》の空手《からて》は圧倒的《あっとうてき》に強《つよ》かった。突《つ》いてきたナイフを蹴《け》りで弾《はじ》き、そのまま体《からだ》を回転《かいてん》させて回《まわ》し蹴《げ》りを放《はな》つ。足《あし》の甲《こう》がピンガの首元《くびもと》にめり込《こ》み、ピンガは車《くるま》の屋根《やね》に吹《ふ》っ飛《と》んだ。転《ころ》げ落《お》ちた先《さき》に、ウォッカが運転《うんてん》する車《くるま》が停《と》まる。

「構《かま》うな、行《い》くぞ！」

ピンガは車《くるま》に向《む》かって走《はし》り出《だ》した。

「待《ま》ちなさい！」

蘭《らん》が追《お》いかける。


廃墟《はいきょ》の最上階《さいじょうかい》で、キャンティはライフルを構《かま》えてスコープを覗《のぞ》いていた。車《くるま》の間《あいだ》から飛《と》び出《だ》してきた蘭《らん》を捉《とら》える。

「誰《だれ》だか知《し》らないけど、死《し》にな」

キャンティはニヤリと笑《わら》って、引《ひ》き金《がね》を引《ひ》いた。

発射《はっしゃ》された弾丸《だんがん》が、辺《あた》りの空気《くうき》を震《ふる》わせながら、蘭《らん》へと突《つ》き進《すす》む——。


バルコニーから飛《と》び降《お》りたコナンは全力《ぜんりょく》で走《はし》り、蘭《らん》に横《よこ》から飛《と》びついた。

「きゃあ！」

倒《たお》れていく蘭《らん》の脇《わき》の下《した》を弾丸《だんがん》がかすめるように通過《つうか》して、四輪駆動車《よんりんくどうしゃ》のサイドミラーに直撃《ちょくげき》した。

車《くるま》はピンガを乗《の》せると、猛《もう》スピードで発進《はっしん》した。地面《じめん》に倒《たお》れた蘭《らん》がすぐに起《お》き上《あ》がる。

「コナン君《くん》！　誰《だれ》か呼《よ》んでくるから——」

「ダメだ!!」

コナンは強《つよ》く制《せい》した。

「オレが合図《あいず》するまで、そこを動《うご》くんじゃねーぞ!!」

その口調《くちょう》と真剣《しんけん》な表情《ひょうじょう》が新一《しんいち》と重《かさ》なって、

「……う、うん」

蘭《らん》は思《おも》わずこくりとうなずいた。

コナンはそばに落《お》ちていたサイドミラーを拾《ひろ》い上《あ》げると、植《う》え込《こ》みの奥《おく》へ走《はし》っていく。

四《よ》つん這《ば》いになっていた蘭《らん》は、ぺたんとお尻《しり》を地面《じめん》につけた。

——どうしてだろう。幼《おさな》いコナンが、ときどき新一《しんいち》と重《かさ》なって見《み》えてしまう。ときおり見《み》せる表情《ひょうじょう》や言葉遣《ことばづか》いが新一《しんいち》にそっくりで、新一《しんいち》を思《おも》い出《だ》させるのだ。

車《くるま》の陰《かげ》に隠《かく》れたコナンは、持《も》っていたサイドミラーを出《だ》して、廃墟《はいきょ》の方面《ほうめん》に向《む》けた。廃《はい》墟《きょ》の最上階《さいじょうかい》に、まだスナイパーがいる。

「二百《にひゃく》メートルってとこか……」

廃墟《はいきょ》までの距離《きょり》を確認《かくにん》したコナンは、キック力増強《りょくぞうきょう》シューズのダイヤルを回《まわ》した。

「今《いま》だ蘭《らん》！　走《はし》れ!!」

大声《おおごえ》で蘭《らん》に合図《あいず》をすると、コナンは車《くるま》の陰《かげ》から飛《と》び出《だ》して、廃墟《はいきょ》に向《む》かってサイドミラーを力《ちから》いっぱい蹴《け》り上《あ》げた。


狙撃《そげき》に失敗《しっぱい》したキャンティは、再《ふたた》びライフルを構《かま》えてスコープを覗《のぞ》いていた。すると、撃《う》ち損《そこ》ねた女《おんな》が車《くるま》の陰《かげ》から飛《と》び出《だ》した。駐車場《ちゅうしゃじょう》を走《はし》る姿《すがた》をスコープで捉《とら》える。

「死《し》ね」

引《ひ》き金《がね》を引《ひ》こうとしたとき、スコープに何《なに》かが映《うつ》って女《おんな》の姿《すがた》が隠《かく》れた。

「何《なに》ッ!?」

驚《おどろ》いてスコープから目《め》を離《はな》した瞬間《しゅんかん》――バァン!!

窓枠《まどわく》そばの壁《かべ》が弾《はじ》けた。何《なに》かが飛《と》んできたのだ。

「くそっ！　誰《だれ》だ!?」

キャンティはすぐに窓《まど》から離《はな》れて、部屋《へや》の奥《おく》に隠《かく》れた。

「……よし！」

コナンがメガネの望遠《ぼうえん》レンズでスナイパーが部屋《へや》の奥《おく》に引《ひ》っ込《こ》んだのを確認《かくにん》すると、阿《あ》笠博士《がさはかせ》のビートルが近《ちか》づいてきた。

「新一《しんいち》、乗《の》れ！」

ビートルが目《め》の前《まえ》で停《と》まって、コナンは助手席《じょしゅせき》の窓《まど》から乗《の》り込《こ》んだ。すぐに発進《はっしん》して、駐車場《ちゅうしゃじょう》を出《で》て行《い》く。


ホテルの中《なか》に入《はい》った蘭《らん》は、まっすぐ小五郎《こごろう》の部屋《へや》に向《む》かった。

「お父《とう》さん、起《お》きて！　大変《たいへん》なの！」

ベッドで寝《ね》ている小五郎《こごろう》の体《からだ》を激《はげ》しく揺《ゆ》すると、小五郎《こごろう》の目《め》がパチッと開《ひら》く。

「……蘭《らん》」

目《め》を覚《さ》ました小五郎《こごろう》はキリリとした顔《かお》で名前《なまえ》を呼《よ》ぶ。しかし、

「頼《たの》む……もう一杯《いっぱい》……」

ニカッと笑《わら》ったかと思《おも》うと、コテンと再《ふた》び寝《ね》てしまった。寝《ね》ぼけていたのだ。

「もおっ！」

蘭《らん》は思《おも》わず小五郎《こごろう》のみぞおちにパンチを撃《う》ち込《こ》んだ。


ホテルを出《で》て坂道《さかみち》を猛《もう》スピードで進《すす》んだビートルは、タイヤを横滑《よこすべ》りさせて外周道路《がいしゅうどうろ》に折《お》れた。

助手席《じょしゅせき》のコナンは、犯人追跡《はんにんついせき》メガネを起動《きどう》させた。左《ひだり》レンズのレーダーに赤《あか》い点《てん》が点滅《てんめつ》しながら移動《いどう》している。灰原《はいばら》の探偵《たんてい》バッジについている発信機《はっしんき》だ。

「よかった。探偵《たんてい》バッジは持《も》ってるみてぇだ」

コナンは一息《ひといき》ついて、スマホで地図《ちず》を見《み》た。ハンドルを握《にぎ》る阿笠博士《あがさはかせ》が、眉《まゆ》をひそめる。

「なぜ哀君《あいくん》が……」

コナンの脳裏《のうり》に、パシフィック・ブイでさらわれた直美《なおみ》が浮《う》かんだ。老若認証《ろうにゃくにんしょう》システムを開発《かいはつ》した直美《なおみ》がさらわれ、その次《つぎ》に灰原《はいばら》がさらわれた。

幼少期《ようしょうき》の顔《かお》と成人期《せいじんき》の顔《かお》を同一人物《どういつじんぶつ》として照合《しょうごう》できる『老若認証《ろうにゃくにんしょう》』システム。死《し》んだと思《おも》われているシェリーをなんらかのきっかけで、『老若認証《ろうにゃくにんしょう》』で検索《けんさく》したとしたら——。

「バレちまったのかもしれねぇ……アイツがシェリーだってことが」

「なんじゃと⁉」

猛《もう》スピードで走《はし》るビートルは、ギャリギャリギャリと音《おと》を立《た》てながら百八十度《ひゃくはちじゅうど》旋回《せんかい》し、坂道《さかみち》を上《のぼ》った。


灰原《はいばら》をさらった四輪駆動車《よんりんくどうしゃ》は、真《ま》っ暗《くら》な林道《りんどう》の脇《わき》に停《と》められていた。

「……ああ、五分後《ごふんご》だ」

車《くるま》の外《そと》で電話《でんわ》をしていたウォッカが戻《もど》ると、後部座席《こうぶざせき》でピンガが「くそっ」と痛《いた》そうに首《くび》を押《お》さえた。蘭《らん》の蹴《け》りを食《く》らったところがアザになっている。

「とんだ邪魔《じゃま》が入《はい》ったな」

「フン。次《つぎ》に会《あ》ったら殺《ころ》してやるよ」

ピンガはそう言《い》うと、後部座席《こうぶざせき》に寝《ね》かせた灰原《はいばら》に頭部《とうぶ》を覆《おお》うフードがついたライフジャケットを被《かぶ》せた。

「ん？」

運転席《うんてんせき》に座《すわ》ったウォッカは、バックミラーに二《ふた》つの小《ちい》さな光《ひかり》が映《うつ》っているのに気《き》づいた。

車《くるま》のヘッドライトだ。

「なんだ、あの車《くるま》は⁉」

小《ちい》さな光《ひかり》は上下《じょうげ》に揺《ゆ》れながら、どんどん大《おお》きくなっていく。


ビートルは起伏《きふく》の激《はげ》しい林道《りんどう》をバウンドしながら走《はし》った。すると、林道《りんどう》の脇《わき》に車《くるま》が停《と》まっているのが見《み》えた。

「おったぞ！　奴等《やつら》じゃ！」

「二手《ふたて》に分《わ》かれよう！」

コナンが足元《あしもと》に置《お》いたスケボーを持《も》ち上《あ》げると同時《どうじ》に、停《と》まっていた四輪駆動車《よんりんくどうしゃ》が急発進《きゅうはっしん》した。そしていきなり道路《どうろ》から外《はず》れて、林《はやし》の中《なか》へ突《つ》っ込《こ》んでいく。

「やっかいな道《みち》を走《はし》りおって！」

「博士《はかせ》、山道《やまみち》は囮《おとり》だ！　無茶《むちゃ》すんなよ！」

スケボーを脇《わき》に抱《かか》えてシートベルトをつかんだコナンは、助手席《じょしゅせき》のドアを開《あ》けて飛《と》び出《だ》した。ピンと張《は》ったシートベルトを離《はな》し、宙《ちゅう》で一回転《いっかいてん》してスケボーに乗《の》って着地《ちゃくち》する。

猛《もう》スピードで林道《りんどう》を駆《か》けながら、コナンは耳《みみ》につけたワイヤレスイヤホンで阿笠博士《あがさはかせ》に呼《よ》びかけた。

「おそらく奴等《やつら》は山道《やまみち》を進《すす》むと見《み》せかけて、途中《とちゅう》で曲《ま》がって外周道路《がいしゅうどうろ》に出《で》るはずだ！　八《はち》丈富士方向《じょうふじほうこう》に逃《に》げ場《ば》はねぇしな。先回《さきまわ》りして挟《はさ》み込《こ》むしかねぇ‼」

そう叫《さけ》ぶと、コナンはウォッカたちが進《すす》んだ林《はやし》と反対側《はんたいがわ》の林《はやし》に突《つ》っ込《こ》み、獣道《けものみち》を進《すす》んだ。

ビートルはそのまま林道《りんどう》を進《すす》んでいく。

低《ひく》く横《よこ》に伸《の》びた枝《えだ》や葉《は》っぱをよけながら、コナンは獣道《けものみち》を突《つ》き進《すす》んだ。やがて石垣《いしがき》に囲《かこ》まれた細《ほそ》い道《みち》が見《み》えた。林《はやし》から飛《と》び出《だ》したコナンは、石垣《いしがき》の壁《かべ》を滑《すべ》り、地面《じめん》に着地《ちゃくち》する。

細《ほそ》い道《みち》を猛《もう》スピードで走《はし》っていると、やがて小高《こだか》い丘《おか》に出《で》た。斜面《しゃめん》の下《した》に見《み》える国道《こくどう》では、四輪駆動車《よんりんくどうしゃ》とビートルが走《はし》っている。

『新一《しんいち》！　読《よ》みどおりじゃ。奴《やつ》ら国道《こくどう》に出《で》おったぞ！』

「ああ、こっちも捉《とら》えた」

『ぶつけてでも止《と》めたるわい！』

コナンはスケボーを加速《かそく》させて、斜面《しゃめん》を駆《か》け下《お》りた。

(博士《はかせ》より先《さき》になんとかしねーと……コイツで眠《ねむ》らせるしかねーか)

腕時計《うでどけい》のツマミを押《お》して、腕時計型麻酔銃《うでどけいがたますいじゅう》の照準器《しょうじゅんき》になるカバーを開《ひら》く。

茂《しげ》みから道路《どうろ》に飛《と》び出《だ》したコナンは、走《はし》っていた乗用車《じょうようしゃ》の後《うし》ろに回《まわ》り込《こ》んだ。車体《しゃたい》の後《うし》ろから顔《かお》を出《だ》して前《まえ》を覗《のぞ》く。

(来《き》た!!)

反対車線《はんたいしゃせん》を四輪駆動車《よんりんくどうしゃ》が走《はし》ってくるのが見《み》えて、コナンは腕時計型麻酔銃《うでどけいがたますいじゅう》の照準器《しょうじゅんき》を前《まえ》に向《む》けて狙《ねら》いを定《さだ》めた。

(チャンスは一度《いちど》きり。一《いち》か八《ばち》かだ)

そのとき、四輪駆動車《よんりんくどうしゃ》が突然右《とつぜんみぎ》に曲《ま》がった。

「なっ……!?」

曲《ま》がった先《さき》は、溶岩台地《ようがんだいち》が広《ひろ》がる南原千畳岩海岸《なんばらせんじょういわかいがん》の駐車場《ちゅうしゃじょう》だった。四輪駆動車《よんりんくどうしゃ》は車止《くるまど》めの柵《さく》に突《つ》っ込《こ》み、黒《くろ》い溶岩《ようがん》が延々《えんえん》と積《つ》み重《かさ》なった台地《だいち》を走《はし》っていく。

「くそっ!」

コナンも左《ひだり》に曲《ま》がって、四輪駆動車《よんりんくどうしゃ》を追《お》った。遅《おく》れてやってきた阿笠博士《あがさはかせ》のビートルも横《よこ》に並《なら》ぶ。

(どこに行《い》くつもりだ? そっちに行《い》ったたって……)

コナンは四輪駆動車《よんりんくどうしゃ》が進《すす》む先《さき》を見《み》た。その先《さき》は断崖《だんがい》になっていて、海《うみ》が広《ひろ》がっているだけだ。

（まさか……!!）

とんでもない考《かんが》えがコナンの脳裏《のうり》をよぎった瞬間《しゅんかん》、目《め》の前《まえ》の四輪駆動車《よんりんくどうしゃ》が断崖《だんがい》から海《うみ》に飛《と》び込《こ》んだ。

「嘘《うそ》だろ!?」

コナンはとっさにボードをスライドさせてブレーキをかけた。

「哀君《あいくん》!!」

阿笠博士《あがさはかせ》も慌《あわ》ててハンドルを右《みぎ》に切《き》り、崖《がけ》のギリギリ手前《てまえ》で停止《ていし》する。

ズザァァァン。

崖《がけ》から落《お》ちた四輪駆動車《よんりんくどうしゃ》は、大《おお》きな水柱《みずばしら》を立《た》てて海《うみ》に沈《しず》んだ。

「くそっ！」

コナンも追《お》うように崖《がけ》から飛《と》び出《だ》した。垂直《すいちょく》な崖《がけ》をスケボーで滑《すべ》り、岩《いわ》のでっぱりではね飛《と》ばされたコナンは、空中《くうちゅう》で回転《かいてん》しながらスケボーをキャッチして、再《ふたた》び崖《がけ》を滑《すべ》り落《お》ちる。海《うみ》に着水《ちゃくすい》したコナンは、海面《かいめん》を跳《は》ねながら進《すす》んだ。腕時計《うでどけい》を外《はず》し、大《おお》きく息《いき》を吸《す》いながらライトを点《つ》けると、腕時計《うでどけい》を口《くち》にくわえて海中《かいちゅう》に飛《と》び込《こ》む。

夜《よる》の海《うみ》の中《なか》は真《ま》っ暗《くら》で、コナンは腕時計《うでどけい》のライトとメガネのレーダーを頼《たよ》りに潜《もぐ》っていった。するとレーダーの画面《がめん》が徐々《じょじょ》に乱《みだ》れて、ブツッと消《き》えてしまう。

「！」

腕時計《うでどけい》のライトが照《て》らした海底《かいてい》に、四輪駆動車《よんりんくどうしゃ》が沈《しず》んでいた。車内《しゃない》には誰《だれ》もいない。

（やべ、もう息《いき》が……）

息《いき》が苦《くる》しくなったコナンは、踵《きびす》をひるがえして上昇《じょうしょう》し始《はじ》めた。海面《かいめん》に顔《かお》を出《だ》して思《おも》い切《き》り息《いき》を吸《す》うと、周囲《しゅうい》を見回《みまわ》す。

「灰原《はいばら》！　灰原《はいばら》ー!!」

しかし真《ま》っ暗《くら》な海《うみ》が広《ひろ》がるばかりで、灰原《はいばら》もピンガ達《たち》の姿《すがた》も見《み》えない。

一体《いったい》どこへ——そう思《おも》ったとき、海中《かいちゅう》からゴウン、ゴウンと地鳴《じな》りのような低音《ていおん》が聞《き》こえてきた。

「!?」

コナンは再《ふたた》び海《うみ》に潜《もぐ》った。両手《りょうて》で水《みず》をかき分《わ》けて、真《ま》っ暗《くら》な海《うみ》の中《なか》を進《すす》む。口《くち》にくわえた腕時計《うでどけい》のライトが、海中《かいちゅう》を青白《あおじろ》い光《ひかり》で照《て》らす。

一瞬《いっしゅん》、目《め》の前《まえ》に何《なに》が現《あらわ》れたのかわからなかった。そのとてつもなく巨大《きょだい》な魚影《ぎょえい》は、漆黒《しっこく》の海《うみ》に溶《と》け込《こ》むかのように存在感《そんざいかん》を消《け》していたのだ。

それが巨大《きょだい》な潜水艦《せんすいかん》だと気《き》づいたコナンは、全速力《ぜんそくりょく》で泳《およ》ぎ出《だ》した。必死《ひっし》で海面《かいめん》に出《で》ようとするコナンの背後《はいご》を、黒《くろ》い鋼鉄《こうてつ》の塊《かたまり》が斜《なな》め上《うえ》に横切《よこぎ》っていく。

凄《すさ》まじい音《おと》を響《ひび》かせながら艦首《かんしゅ》を海面《かいめん》から突《つ》き出《だ》した潜水艦《せんすいかん》は、巨大《きょだい》な水柱《みずばしら》を立《た》てた。

やや離《はな》れたところで海面《かいめん》に出《で》たコナンは、巨大《きょだい》な黒《くろ》いクジラのような艦体《かんたい》に、思《おも》わず息《いき》をのんだ。

「マジかよ……」

愕然《がくぜん》とするコナンに、潜水艦《せんすいかん》の浮上《ふじょう》が引《ひ》き起《お》こした高波《たかなみ》が近《ちか》づいてきた。やべっ！と慌《あわ》てて海岸《かいがん》に向《む》かって泳《およ》ぎ出《だ》す。しかし波《なみ》のスピードが速《はや》くて、あっという間《ま》にのみ込《こ》まれてしまう——。

阿笠博士《あがさはかせ》が崖下《がけした》の岩場《いわば》に下《お》りていくと、息《いき》を荒《あら》くしたコナンが海《うみ》から上《あ》がってきたところだった。その手《て》にはスケボーと、灰原《はいばら》が着《き》ていたカーディガンを持《も》っている。波《なみ》にのまれた後《あと》、海底《かいてい》に沈《しず》んだ四輪駆動車《よんりんくどうしゃ》に戻《もど》って探《さが》したのだ。

カーディガンを見《み》た阿笠博士《あがさはかせ》は、へなへなとその場《ば》に崩《くず》れた。

「そ、そんな……どうして……哀君《あいくん》……」

ううう、と嗚咽《おえつ》を漏《も》らす阿笠博士《あがさはかせ》に、ゆっくり息《いき》をして呼吸《こきゅう》を整《ととの》えたコナンが「博士《はかせ》」と呼《よ》びかける。

「灰原《はいばら》は、オレがぜってー連《つ》れ戻《もど》す……！」

カーディガンを強《つよ》く握《にぎ》りしめたコナンは、決意《けつい》のみなぎる表情《ひょうじょう》で言《い》った。

コナンと阿笠博士《あがさはかせ》がベルツリーホテルに戻《もど》ったとき、すでに深夜《しんや》になっていた。人気《ひとけ》のないホテルのロビーで、コナンは目暮《めぐれ》と佐藤《さとう》に、灰原《はいばら》がさらわれた経緯《けいい》と海《うみ》で潜《せん》水艦《すいかん》を見《み》たことを伝《つた》えた。

「潜水艦《せんすいかん》？」

突拍子《とっぴょうし》もない話《はなし》を聞《き》いた目暮《めぐれ》が、思《おも》わず聞《き》き返《かえ》す。

「うん」

シャワーを浴《あ》びて館内着《かんないぎ》の作務衣《さむえ》に着替《きが》えたコナンは、力強《ちからづよ》くうなずいた。

「まさか……」

信《しん》じられない様子《ようす》でつぶやいた佐藤《さとう》は、コナンの隣《となり》でソファに座《すわ》った阿笠博士《あがさはかせ》を見《み》る。

「阿笠《あがさ》さんも見《み》たんですか？」

「いや、ワシは暗《くら》くて……」

ソファの前《まえ》に立《た》った佐藤《さとう》と目暮《めぐれ》は、困惑《こんわく》した顔《かお》を見合《みあ》わせた。

「怖《こわ》い思《おも》いをしたから、勘違《かんちが》いしたのかも……」

「違《ちが》う！」

コナンは強《つよ》い口調《くちょう》で否定《ひてい》した。

「オレはホントに潜水艦《せんすいかん》を見《み》たんだ!!」

声《こえ》を荒《あら》らげるコナンに、阿笠博士《あがさはかせ》が「落《お》ち着《つ》くんじゃ」と肩《かた》に手《て》を置《お》く。

本当《ほんとう》に見《み》たんだ――コナンはうつむき、膝《ひざ》に乗《の》せた手《て》に力《ちから》を込《こ》めた。

その様子《ようす》を見《み》て、目暮《めぐれ》と佐藤《さとう》が再《ふたた》び顔《かお》を見合《みあ》わせる。そして目暮《めぐれ》が懐《ふところ》から折《お》り畳《たた》みの地《ち》図《ず》を取《と》り出《だ》し、

「……コナン君《くん》、どの辺《あた》りかな？」

ソファの前《まえ》のテーブルの上《うえ》に広《ひろ》げた。それは八丈島《はちじょうじま》の地図《ちず》だった。コナンは前《まえ》のめりになって地図《ちず》を覗《のぞ》き込《こ》む。そして、

「この辺《へん》。間違《まちが》いない」

灯台《とうだい》が近《ちか》くにある南原千畳岩海岸《なんばらせんじょういわかいがん》付近《ふきん》の海《うみ》を指差《ゆびさ》した。

「灯台《とうだい》があります」

「警察《けいさつ》や海保《かいほ》の防犯《ぼうはん》カメラがあるはずだ。調《しら》べてみよう」

目暮《めぐれ》はそう言《い》うと地図《ちず》を折《お》り畳《たた》み、懐《ふところ》にしまった。

警察《けいさつ》の二人《ふたり》が立《た》ち去《さ》って、ロビーに残《のこ》されたコナンと阿笠博士《あがさはかせ》は、うつむいたまま互《たが》いに黙《だま》り込《こ》んでいた。

「哀君《あいくん》……無事《ぶじ》だといいんじゃが……」

頭《あたま》を抱《かか》え込《こ》んだ阿笠博士《あがさはかせ》がつぶやくと、コナンはハッと顔《かお》を上《あ》げ、作務衣《さむえ》の上《うえ》に羽織《はお》ったカーディガンのポケットから探偵《たんてい》バッジを取《と》り出《だ》した。

「灰原《はいばら》！　灰原《はいばら》！」

コナンは探偵《たんてい》バッジに呼《よ》びかけた。すると、阿笠博士《あがさはかせ》が探偵《たんてい》バッジを持《も》つコナンの手《て》をつかむ。

「さすがに無理《むり》じゃ。それに奴等《やつら》に聞《き》かれてしまうかもしれんぞ」

潜航中《せんこうちゅう》の潜水艦《せんすいかん》に灰原《はいばら》がいるとしたら、探偵《たんてい》バッジの電波《でんぱ》は届《とど》かない。海面近《かいめんちか》くまで浮《ふ》上《じょう》して万《まん》が一届《いちとど》いたとしても、灰原《はいばら》の周《まわ》りに誰《だれ》かがいれば聞《き》かれてしまう。

どちらも冷静《れいせい》に考《かんが》えればわかることなのに、動揺《どうよう》している今《いま》のコナンには判断《はんだん》できなかった。

「……だよな」

コナンは落《お》ち込《こ》んだ様子《ようす》で、探偵《たんてい》バッジを見《み》つめた。灰原《はいばら》を連《つ》れ戻《もど》す方法《ほうほう》を考《かんが》えるコナンの頭《あたま》に、蘭《らん》と闘《たたか》っていたコーンロウの男《おとこ》が思《おも》い浮《う》かぶ。

「……ピンガを捜《さが》し出《だ》さねーと」

「ピンガ？」

阿笠博士《あがさはかせ》が聞《き》き返《かえ》すと、コナンは小《ちい》さくうなずいた。

「ああ、組織《そしき》のメンバーの一人《ひとり》だ」

工藤邸《くどうてい》にいる沖矢《おきや》に、コナンから電話《でんわ》がかかってきた。

電話《でんわ》に出《で》た沖矢《おきや》は椅子《いす》から立《た》ち上《あ》がり、窓《まど》に近《ちか》づいて夜空《よぞら》を見上《みあ》げた。東京《とうきょう》の空《そら》はほとんど星《ほし》が見《み》えない。

「……潜水艦《せんすいかん》か。ライフルでは歯《は》が立《た》たないな」

『どうすればいい？』

「こちらで対処法《たいしょほう》を考《かんが》える。その子《こ》の奪還《だっかん》は……」

『それはこっちでなんとかすっから、赤井《あかい》さんは潜水艦《せんすいかん》に専念《せんねん》して！』

「ああ、わかった」

答《こた》えるとプツリと電話《でんわ》が切《き》れて、沖矢《おきや》はしばしスマホの画面《がめん》を見《み》つめた。

沖矢《おきや》に電話《でんわ》をした後《あと》、コナンはホテルの屋上《おくじょう》に上《あ》がり、蘭《らん》に電話《でんわ》をかけた。

「心配《しんぱい》すんなって。オレもいろいろ探《さぐ》って、博士《はかせ》に連絡《れんらく》すっから」

蝶《ちょう》ネクタイ型変声機《がたへんせいき》を巻《ま》いたスマホに向《む》かって、コナンは励《はげ》ますように明《あか》るい口調《くちょう》で言《い》った。

『新一《しんいち》、こっちに来《こ》られないの？　知《し》り合《あ》いの子《こ》がさらわれちゃったんだよ』

「わかってる。いざとなったら、そっちに行《い》ってやっからよ」

コナンは答《こた》えながら、羽織《はお》ったカーディガンのポケットを探《さぐ》った。

『ホント？　約束《やくそく》だからね』

「ああ……」

ポケットからピルケースを取《と》り出《だ》したコナンは、通話《つうわ》を切《き》った。手《て》のひらのピルケースを親指《おやゆび》で器用《きよう》に開《あ》けて、青《あお》と白《しろ》のカプセルを取《と》り出《だ》す。

「いざとなったら、な……」

手《て》にしたカプセルを見《み》つめて顔《かお》を上《あ》げると、満天《まんてん》の星《ほし》が瞬《またた》いていた。

6

シェリーこと、宮野志保《みやのしほ》が拘束《こうそく》されたのは、薄暗《うすぐら》くて狭《せま》いガス室《しつ》だった。

閉《と》じ込《こ》められて、どのくらい経《た》っただろう。壁《かべ》に左手首《ひだりてくび》を手錠《てじょう》で繋《つな》がれた志保《しほ》は、手錠《てじょう》を外《はず》そうと腕《うで》を激《はげ》しく揺《ゆ》さぶったが、手首《てくび》が傷《きず》つくだけで手錠《てじょう》は外《はず》れない。

志保《しほ》は肩《かた》で息《いき》をしながら、右手《みぎて》を床《ゆか》についてうなだれた。

どうせ手錠《てじょう》が外《はず》れたところで、鍵《かぎ》がかかったこの部屋《へや》からは出《で》られない。出《で》られるのは、私《わたし》の処分《しょぶん》が決《き》まったときだ。出《で》られたとしても、きっとすぐに殺《ころ》されるだろうが……。

志保《しほ》は隠《かく》し持《も》っていた赤《あか》と白《しろ》のカプセルを、目《め》の前《まえ》に掲《かか》げた。

どうせ殺《ころ》されるなら、自分《じぶん》が作《つく》った薬《くすり》で死《し》ぬ方《ほう》がマシだ――。

意《い》を決《けっ》した志保《しほ》は、カプセルを口《くち》に入《い》れて飲《の》み込《こ》んだ。

これで死《し》ねる――そう思《おも》った瞬間《しゅんかん》。

ドクン――!!

心臓《しんぞう》が大《おお》きく脈《みゃく》を打《う》って、志保《しほ》の目《め》がカッと見開《みひら》いた。

「んあああああ――ッ!!」

強烈《きょうれつ》な衝撃《しょうげき》が体中《からだじゅう》を駆《か》け回《まわ》った。体《からだ》が燃《も》えるように熱《あつ》い――!!

身《み》をよじらせその場《ば》に崩《くず》れ落《お》ちる志保《しほ》の体《からだ》から、白《しろ》い煙《けむり》が立《た》ち上《のぼ》った。さらに手錠《てじょう》からぶら下《さ》がった左手《ひだりて》がピクピクと痙攣《けいれん》したかと思《おも》うと、徐々《じょじょ》に縮《ちぢ》んでいき、手錠《てじょう》の輪《わ》をするりと抜《ぬ》け落《お》ちる。

白衣《はくい》の下《した》で体《からだ》が小《ちい》さくなっていた志保《しほ》は、意識《いしき》をもうろうとさせながら床《ゆか》を這《は》いずり、小《ちい》さなダストシュートの取《と》っ手《て》に手《て》をかけた。力《ちから》を込《こ》めて引《ひ》っ張《ぱ》ると、扉《とびら》が開《あ》いた。投入口《とうにゅうぐち》は子供一人《こどもひとり》がギリギリ入《はい》れる大《おお》きさだ。志保《しほ》はそのトンネルのような穴《あな》に身《み》を投《とう》じた。

ゴミ捨《す》て場《ば》に落《お》ちた志保《しほ》は建物《たてもの》から出《で》て、大《おお》きくなった白衣《はくい》を引《ひ》きずりながら雨《あめ》の中《なか》を必死《ひっし》に走《はし》った。

生《う》まれてすぐに両親《りょうしん》を事故《じこ》で亡《な》くし、たった一人《ひとり》の姉《あね》を組織《そしき》に殺《ころ》されてしまった志保《しほ》に、どこにも行《い》くあてはなかった。必死《ひっし》に走《はし》る中《なか》で浮《う》かんだのは、自分《じぶん》と同《おな》じく幼児化《ようじか》した可《か》能性《のうせい》が高《たか》い、工藤新一《くどうしんいち》だった。おそらく同《おな》じ状況《じょうきょう》に陥《おちい》ったであろう彼《かれ》なら、きっと志保《しほ》のことを理解《りかい》してくれるだろう。

志保《しほ》は、以前調査《いぜんちょうさ》で訪《おとず》れたことのある工藤邸《くどうてい》の前《まえ》に来《き》ていた。ずぶ濡《ぬ》れになりながら、門《もん》を見上《みあ》げる。すると、雨音《あまおと》に混《ま》じって近《ちか》づいてくる足音《あしおと》が聞《き》こえた。驚《おどろ》いて横《よこ》を振《ふ》り向《む》くと、傘《かさ》を差《さ》した白衣姿《はくいすがた》の小太《こぶと》りの男《おとこ》——阿笠博士《あがさはかせ》が立《た》っていた。

「あ、あの……」

志保《しほ》が声《こえ》をかけると、無表情《むひょうじょう》で立《た》っている阿笠博士《あがさはかせ》の体《からだ》がゆらりと揺《ゆ》れて、その場《ば》にドサリと崩《くず》れ落《お》ちた。

「えっ……!?」

志保《しほ》は思《おも》わず口《くち》に手《て》を当《あ》てて、後《あと》ずさりした。そのとたん、後頭部《こうとうぶ》にコツンと何《なに》かが当《あ》たる。

「!!」

その硬《かた》く冷《つめ》たい感触《かんしょく》に、全身《ぜんしん》の毛《け》がぶわりと逆立《さかだ》った。振《ふ》り返《かえ》らなくてもわかる。銃口《じゅうこう》を突《つ》き付《つ》けられているのだ。

「会《あ》いたかったぜ、シェリー」

志保《しほ》は後《うし》ろを振《ふ》り返《かえ》った。煙草《たばこ》をくわえたジンが、小《ちい》さくなった志保《しほ》に銃《じゅう》を向《む》けている。

パァンと乾《かわ》いた銃声《じゅうせい》が頭《あたま》の中《なか》で響《ひび》いて、灰原《はいばら》は目《め》を覚《さ》ました。

天井《てんじょう》が目《め》に飛《と》び込《こ》んできて、灰原《はいばら》は乱《みだ》れた呼吸《こきゅう》を整《ととの》えながら左腕《ひだりうで》を持《も》ち上《あ》げた。体《からだ》が自《じ》由《ゆう》に動《うご》くのを確認《かくにん》して、撃《う》たれたのは夢《ゆめ》だったとようやく気《き》づく。すると、

「よかった……」

若《わか》い女性《じょせい》の顔《かお》がいきなり視界《しかい》に飛《と》び込《こ》んできた。メガネをかけた灰原《はいばら》はすばやく起《お》き上《あ》がり、壁際《かべぎわ》に後《あと》ずさる。

「だ、誰《だれ》!?」

「……怖《こわ》かったよね」

女性《じょせい》は灰原《はいばら》の反応《はんのう》に驚《おどろ》きながらも、優《やさ》しく微笑《ほほえ》みかけた。その顔《かお》に、灰原《はいばら》は見覚《みおぼ》えがあった。ビートルの中《なか》で見《み》ていたニュース番組《ばんぐみ》に出《で》ていた女性《じょせい》――直美《なおみ》だ。

「あなた、エンジニアの……」

「え？　なんて？」

両手《りょうて》を後《うし》ろ手《で》に縛《しば》られた直美《なおみ》は、身《み》を乗《の》り出《だ》した。

「……いえ。ここはどこ？」

灰原《はいばら》は周《まわ》りを見回《みまわ》した。そこは二段《にだん》ベッドが二《ふた》つ並《なら》んだ狭《せま》い部屋《へや》で、灰原《はいばら》は下段《げだん》のベッドに寝《ね》かされていたらしい。

「多分《たぶん》、潜水艦《せんすいかん》だと思《おも》うんだけど、私《わたし》もわからなくて……」

直美《なおみ》も部屋《へや》を見回《みまわ》す。そのとき、灰原《はいばら》は足《あし》の下《した》に何《なに》か硬《かた》いものがあるのに気《き》づいた。そっと足《あし》をどけると――探偵《たんてい》バッジが置《お》いてある。

「誰《だれ》が……」

手《て》に取《と》った探偵《たんてい》バッジを怪訝《けげん》そうに見《み》ていると、身《み》を乗《の》り出《だ》した直美《なおみ》が灰原《はいばら》の顔《かお》をじっと見《み》つめた。

「……何《なに》？」

「あなた、本当《ほんとう》に似《に》てる。志保《しほ》に」

「えっ？」

突然《とつぜん》、直美《なおみ》の口《くち》から自分《じぶん》の名前《なまえ》が出《で》てきて、灰原《はいばら》は驚《おどろ》いた。

「や、志保《しほ》はもう大人《おとな》だから、志保《しほ》の小《ちい》さいときにってことね」

「……へえ、そうなんだ」

灰原《はいばら》は混乱《こんらん》しつつも相槌《あいづち》を打《う》ち、ベッドから下《お》りた。するといきなりドアが開《あ》いて、ウオッカとキールが入《はい》ってきた。ベッドのそばで立《た》っている灰原《はいばら》を見《み》て、

「おいっ、なんだ！　縛《しば》ってねーじゃねぇか！」

ウォッカが背後《はいご》のキールに顔《かお》を向《む》ける。

「こんな子供《こども》に必要《ひつよう》ないわ」

「念《ねん》には念《ねん》をだ」

ウォッカは二段《にだん》ベッドの上段《じょうだん》にあったロープを手《て》に取《と》った。ベッドの端《はし》へ後《あと》ずさった灰《はい》原《ばら》は震《ふる》えていた。冷《ひ》や汗《あせ》が頬《ほお》を伝《つた》う。

「貸《か》して。私《わたし》がやるわ。あなたはこれを確認《かくにん》したいんでしょ」

キールは持《も》っていたタブレットをウォッカに渡《わた》すと、受《う》け取《と》ったロープを広《ひろ》げながら灰《はい》原《ばら》に近《ちか》づいた。

「足《あし》からね」

灰原《はいばら》の前《まえ》でしゃがみ込《こ》み、ベッドから下《お》ろした灰原《はいばら》の足《あし》をロープで縛《しば》っていく。灰原《はいばら》はさりげなく髪《かみ》に手《て》をやると、メガネのつるの先端《せんたん》についた盗聴器《とうちょうき》を外《はず》し、キールのパーカーのフードに入《い》れた。

一瞬《いっしゅん》、ロープを縛《しば》るキールの手《て》が止《と》まる。が、すぐに体《からだ》を起《お》こして、灰原《はいばら》の体《からだ》を後《うし》ろに向《む》けた。

「腕《うで》を…」

両足《りょうあし》を縛《しば》られた灰原《はいばら》はベッドに膝《ひざ》をつき、両腕《りょううで》を後《うし》ろに回《まわ》した。背中《せなか》で両手首《りょうてくび》を立《た》てて十字《じゅうじ》に組《く》む。キールは灰原《はいばら》の手首《てくび》を一瞥《いちべつ》して、手際《てぎわ》よくロープを巻《ま》いていった。

「しっかし、信《しん》じられねぇな」

ウォッカの声《こえ》に、灰原《はいばら》はピクリと肩《かた》を上《あ》げた。ウォッカは持《も》っていたタブレットを顔《かお》の横《よこ》に掲《かか》げて、ニヤリと笑《わら》った。

「お前《まえ》、シェリーなんだろ？」

タブレットには、シェリーと灰原哀《はいばらあい》の画像《がぞう》が並《なら》んだ老若認証《ろうにゃくにんしょう》システムの結果画面《けっかがめん》が表示《ひょうじ》されていた。

灰原《はいばら》が無言《むごん》を貫《つらぬ》くと、ウォッカはフンと鼻《はな》を鳴《な》らし、直美《なおみ》に近《ちか》づいた。

「おい。このガキがこの女《おんな》ってことだな？」

「これって……」

タブレットの画面《がめん》を見《み》せられた直美《なおみ》は、自分《じぶん》の首元《くびもと》を見《み》た。ネックレスがなくなっている。

答《こた》えてはいけないと直感《ちょっかん》した直美《なおみ》は、画面《がめん》から目《め》をそらした。ウォッカがチッと舌打《したう》ちする。

「まぁいい。黙《だま》っていられるのも今《いま》のうちだ」

捨《す》て台詞《ぜりふ》を吐《は》いて、部屋《へや》を出《で》て行《い》く。キールもロープをベッドの上段《じょうだん》に置《お》いて、後《あと》に続《つづ》いた。

「生《い》かしたままラムに会《あ》わせるしかないわね」

「ジンの兄貴《あにき》に会《あ》わすのが先《さき》だ」

ドアが閉《し》められ二人《ふたり》の足音《あしおと》が遠《とお》ざかると、灰原《はいばら》は張《は》りつめていた気《き》が緩《ゆる》んで、ずるりと壁《かべ》にもたれかかった。ウォッカに見《み》せられたタブレットの画面《がめん》が頭《あたま》に浮《う》かぶ。

正体《しょうたい》がバレてしまった——!!

シェリーが幼児化《ようじか》して生《い》きていることが、組織《そしき》にバレてしまったのだ。

灰原《はいばら》は、悪夢《あくむ》に出《で》てきたジンの顔《かお》を思《おも》い出《だ》した。銃《じゅう》を突《つ》きつけるジンの冷酷《れいこく》な瞳《ひとみ》がよみがえって、ぞわりと背筋《せすじ》がわなないた。

翌朝《よくあさ》。ホテルのロビーに集《あつ》まった子供達《こどもたち》は、園子《そのこ》から灰原《はいばら》が風邪《かぜ》を引《ひ》いて病院《びょういん》に行《い》ったと聞《き》かされた。

「え！　哀《あい》ちゃんが⁉」

「昨日《きのう》は元気《げんき》だったのになあ」

元太《げんた》が不思議《ふしぎ》そうな顔《かお》をすると、光彦《みつひこ》が手《て》を上《あ》げた。

「それならボク達《たち》、お見舞《みま》いに行《い》きます！」

「うん！」

「だな！　うな重差《じゅうさ》し入《い》れようぜ！」

灰原《はいばら》を心配《しんぱい》する子供達《こどもたち》を見《み》て、園子《そのこ》の表情《ひょうじょう》が一瞬曇《いっしゅんくも》る。

「ダーメ！　風邪《かぜ》がうつっちゃうでしょ」

園子《そのこ》が止《と》めると、歩美《あゆみ》は不安《ふあん》そうな顔《かお》をした。

「……哀《あい》ちゃん、そんなに悪《わる》いの？」

子供達《こどもたち》の後《うし》ろにいたコナンが、園子《そのこ》の代《か》わりに答《こた》える。

「病院《びょういん》で診《み》てもらってる。大丈夫《だいじょうぶ》だ」

「でも……」

「クルーザーを手配《てはい》したから、みんな支度《したく》して。いいわね？」

園子《そのこ》の有無《うむ》を言《い》わせない口調《くちょう》に、子供達《こどもたち》は「はーい」と仕方《しかた》なしに返事《へんじ》をした。すると、

「毛利君《もうりくん》」

目暮《めぐれ》がロビーにいる小五郎《こごろう》の元《もと》へやってきた。

「警部殿《けいぶどの》」

「すまないが、コナン君《くん》と一緒《いっしょ》に来《き》てくれないか」

コナンと小五郎《こごろう》は、目暮《めぐれ》の後《あと》についてホテルの正面玄関《しょうめんげんかん》を出《で》た。玄関《げんかん》の前《まえ》には車《くるま》が停《と》まっていて、佐藤《さとう》が運転席側《うんてんせきがわ》に立《た》っている。

コナンが車《くるま》に向《む》かって歩《ある》き出《だ》したとき、ポケットのスマホが震《ふる》えた。

「ごめん、ちょっと待《ま》って。すぐ終《お》わらせる」

着信表示《ちゃくしんひょうじ》を見《み》たコナンは、ぱたぱたと駆《か》けていく。振《ふ》り返《かえ》った小五郎《こごろう》は、あきれた顔《かお》でコナンの後《うし》ろ姿《すがた》を眺《なが》めた。

「なーにやってんだ、アイツ。——あれ？」

ふいにみぞおちの辺《あた》りが痛《いた》くなって、痛《いた》たた……と押《お》さえる。そこは昨晩《さくばん》、蘭《らん》がパンチをお見舞《みま》いしたところだった。

小五郎達《こごろうたち》から離《はな》れたところまで来《き》て、コナンは電話《でんわ》に出《で》た。

「もしもし、安室《あむろ》さん?」

『ホテルでさらわれた少女《しょうじょ》は、君《きみ》の知《し》り合《あ》いだよね』

出《だ》し抜《ぬ》けに言《い》われて、コナンは驚《おどろ》いた。

「まさか、昨日《きのう》の電話《でんわ》って……」

『夕方《ゆうがた》にはジンが合流《ごうりゅう》する』

「潜水艦《せんすいかん》に乗《の》り込《こ》むってこと?」

コナンがたずねると、電話《でんわ》の向《む》こうの安室《あむろ》は少《すこ》し驚《おどろ》いたようだった。

『知《し》ってたのか。さすがだね。奴《やっ》は空《そら》から合流《ごうりゅう》する。つまりそのとき——』

「潜水艦《せんすいかん》は浮上《ふじょう》せざるを得《え》ない」

コナンの先回《さきまわ》りした答《こた》えに、安室《あむろ》は『ああ』とうなずく。

『彼女《かのじょ》を助《たす》けるなら、そこしかない』

通話《つうわ》を切《き》ったと同時《どうじ》に、「おい! 行《い》くぞ!」と小五郎《こごろう》が呼《よ》ぶ声《こえ》がして、コナンは車《くるま》の方《ほう》に向《む》かった。

灰原《はいばら》を連《つ》れ戻《もど》すチャンスは、一度《いちど》きり。

空《そら》から合流《ごうりゅう》するジンを迎《むか》えるため、潜水艦《せんすいかん》が海上《かいじょう》に姿《すがた》を現《あらわ》すそのときだけ。

それは絶好《ぜっこう》のチャンスでもあると同時《どうじ》に、最大《さいだい》の危機《きき》でもあった。

目暮《めぐれ》と佐藤《さとう》に連《つ》れられて、コナンは小五郎《こごろう》と共《とも》に再《ふたた》びパシフィック・ブイに上陸《じょうりく》した。

コントロールルームに入《はい》ると、黒田《くろだ》と白鳥《しらとり》が待《ま》ち構《かま》えていた。

「確認《かくにん》してもらいたいことがある」

黒田《くろだ》はそう言《い》うと、目《め》の前《まえ》の巨大《きょだい》モニターを見《み》るように促《うなが》した。

「灯台《とうだい》の防犯《ぼうはん》カメラを調《しら》べてみたんだが、潜水艦《せんすいかん》は映《うつ》っていなかった」

モニターには昨夜《さくや》の海《うみ》の映像《えいぞう》が再生《さいせい》されていたが、潜水艦《せんすいかん》もコナンの姿《すがた》も映《うつ》っていなかった。

「え……夜《よる》だからってわけじゃないよね？」

コナンが眉《まゆ》をひそめながらたずねると、

「警察《けいさつ》の高解像度《こうかいぞうど》カメラよ」

佐藤《さとう》が代《か》わりに答《こた》える。コナンの後《うし》ろに立《た》った小五郎《こごろう》は、申《もう》し訳《わけ》なさそうに頭《あたま》をかいた。

「すいません。コイツのせいで余計《よけい》な手間《てま》かけさせてしまって……」

コナンはコンソールの前《まえ》に座《すわ》っている牧野《まきの》に話《はな》しかけた。

「このシステムに繋《つな》げているカメラって、警察《けいさつ》が管理《かんり》してるものだけだったよね？」

「そうだけど……」

「ちょっといい？」

コナンはコンソールの上《うえ》に、八丈島《はちじょうじま》の地図《ちず》が表示《ひょうじ》されたスマホを置《お》いた。地図《ちず》にはベルツリーホテルから南原千畳岩海岸《なんばらせんじょういわかいがん》までの経路《けいろ》が、青色《あおいろ》の線《せん》で表示《ひょうじ》されている。

「犯人《はんにん》が逃《に》げたルートだよ。この道《みち》にある警察《けいさつ》のカメラを調《しら》べて！」

「おい、いいかげんに……」

小五郎《こごろう》がコナンの首根《くびね》っこをつかもうと前《まえ》に出《で》ると、黒田《くろだ》が手《て》を出《だ》して制《せい》した。

「昨夜《さくや》の十一時頃《じゅういちじごろ》です」

黒田《くろだ》の言葉《ことば》に牧野《まきの》は少《すこ》し考《かんが》えてうなずくと、レオンハルトの方《ほう》を向《む》いた。

「レオンハルト。A《エー》－6の道《みち》だ」

「今度《こんど》はガキの言《い》いなりかよ」

レオンハルトは嫌味《いやみ》を言《い》うと、キーボードを操作《そうさ》し始《はじ》めた。牧野《まきの》が指定《してい》した防犯《ぼうはん》カメラの映像《えいぞう》が新規《しんき》ウインドウで開《ひら》いて、映像《えいぞう》を二十三時頃《にじゅうさんじごろ》まで一気《いっき》に早送《はやおく》りする。

モニターを横目《よこめ》で見《み》ていたレオンハルトは、何《なに》かに気《き》づいたように眉《まゆ》をひそめた。

「ここのカメラです」

牧野《まきの》が言《い》うと、一同《いちどう》は巨大《きょだい》モニターに映《うつ》った防犯《ぼうはん》カメラの映像《えいぞう》を見《み》つめた。

「……変《へん》ですね。犯人《はんにん》の車《くるま》が映《うつ》ってない」

「阿笠《あがさ》さんの車《くるま》もない。どういうことだ？」

犯人《はんにん》の車《くるま》とビートルが通《とお》ったと思《おも》われる時間帯《じかんたい》の防犯《ぼうはん》カメラ映像《えいぞう》には、車《くるま》が一台《いちだい》も映《うつ》っていなかった。

巨大《きょだい》モニターに釘付《くぎづ》けになった牧野《まきの》は、コンソールに手《て》をついて立《た》ち上《あ》がった。

「まさか、書《か》き換《か》えられてる……？」

(間違《まちが》いない)

車《くるま》が映《うつ》っていない防犯《ぼうはん》カメラ映像《えいぞう》を見《み》て、コナンは確信《かくしん》した。

ここに繋《つな》がれているカメラ映像《えいぞう》は、改《かい》ざんされているのだ。

灰原達《はいばらたち》を乗《の》せた潜水艦《せんすいかん》は、深《ふか》い海《うみ》の中《なか》をゆっくりと航行《こうこう》していた。

「もしかしてあなた、志保《しほ》の娘《むすめ》？」

灰原《はいばら》と反対側《はんたいがわ》の二段《にだん》ベッドの下段《げだん》に腰《こし》かけた直美《なおみ》がたずねると、ベッドの端《はし》にもたれた灰原《はいばら》はため息《いき》をついた。

「だから、宮野志保《みやのしほ》なんて知《し》らないって言《い》ったでしょ」

「あ、そうよね。志保《しほ》にこんな大《おお》きな子供《こども》がいるはずないし……」

ばつが悪《わる》そうに微笑《ほほえ》んだ直美《なおみ》は、改《あらた》めて灰原《はいばら》の顔《かお》を見《み》た。

「でも、あなたは私《わたし》が出会《であ》った頃《ころ》の彼女《かのじょ》にそっくり」

「……出会《であ》った？　どこで？」

灰原《はいばら》がたずねると、直美《なおみ》は目《め》を伏《ふ》せて寂《さび》しげな表情《ひょうじょう》を浮《う》かべた。

「私《わたし》、小《ちい》さい頃《ころ》アメリカにいたの。東洋系《とうようけい》が珍《めずら》しかったからか、毎日《まいにち》いじめに遭《あ》ってて……」

＊＊＊

幼《おさな》い頃《ころ》の直美《なおみ》は、毎朝《まいあさ》スクールバスに乗《の》るのが憂鬱《ゆううつ》だった。

その日《ひ》もスクールバスには子供達《こどもたち》がぎっしり乗《の》っていて、空《あ》いているのは一番奥《いちばんおく》の席《せき》だけだった。リュックを前《まえ》に抱《かか》えた直美《なおみ》は、おどおどしながらバスの通路《つうろ》を歩《ある》いていく。

すると突然《とつぜん》、右側《みぎがわ》に座《すわ》っていた男《おとこ》の子《こ》が足《あし》を通路《つうろ》へ投《な》げ出《だ》した。左側《ひだりがわ》に座《すわ》っていた男《おとこ》の子《こ》も申《もう》し合《あ》わせたように足《あし》を投《な》げ出《だ》す。通路《つうろ》を遮《さえぎ》られた直美《なおみ》は、後《うし》ろを振《ふ》り返《かえ》った。座席《ざせき》に座《すわ》った子供達《こどもたち》は、みんな薄《うす》ら笑《わら》いを浮《う》かべて直美《なおみ》を見《み》ている。

どうしてだろう——直美《なおみ》はリュックを抱《だ》きしめて、ギュッと目《め》をつぶった。

なんで毎日《まいにち》いじめられなきゃいけないんだろう——。

直美《なおみ》が泣《な》き出《だ》しそうになったとき、後《うし》ろから服《ふく》を引《ひ》っ張《ぱ》られた。振《ふ》り返《かえ》ると、分厚《ぶあつ》い本《ほん》を持《も》った日本人《にほんじん》の女《おんな》の子《こ》が立《た》っていた。

その女《おんな》の子《こ》は直美《なおみ》の肩《かた》を押《お》して歩《ある》かせると、

「ここ座《すわ》って」

自分《じぶん》が座《すわ》っていた席《せき》に、直美《なおみ》を座《すわ》らせた。そして何事《なにごと》もなかったかのように持《も》っていた本《ほん》を開《ひら》き、座席《ざせき》の背《せ》もたれにつかまりながら読《よ》み始《はじ》める。

直美《なおみ》は座席《ざせき》の背《せ》もたれから、そっと後《うし》ろを覗《のぞ》いた。通路《つうろ》を足《あし》で塞《ふさ》いだ男《おとこ》の子達《こたち》が、直美《なおみ》を助《たす》けてくれた女《おんな》の子《こ》を忌々《いまいま》しげに見《み》ている。

＊＊＊

「その日《ひ》から、いじめの標的《ひょうてき》が志保《しほ》に変《か》わってしまって……私《わたし》、助《たす》けられなかった。またいじめられるのが怖《こわ》くて……」

直美《なおみ》の話《はなし》を聞《き》いているうちに、灰原《はいばら》はアメリカで暮《く》らしていたときのことを徐々《じょじょ》に思《おも》い出《だ》した。

「だから人種《じんしゅ》によって憎《にく》しみ合《あ》わない世《よ》の中《なか》にしたい、って……あ、わからないよね？」

「だから『老若認証《ろうにゃくにんしょう》』を作《つく》ったの？」

灰原《はいばら》が訊《き》くと、直美《なおみ》は少《すこ》し驚《おどろ》いてから「ええ…」とうなずいた。

「アメリカの大学《だいがく》で人類学《じんるいがく》とＡＩ《エーアイ》を学《まな》んでいるうちに、人種《じんしゅ》や年齢《ねんれい》を問《と》わずに認証《にんしょう》できるプログラムを思《おも》いついたの。そしたらインターポールから声《こえ》がかかって、『老若認証《ろうにゃくにんしょう》』をテストするために日本《にっぽん》の防犯《ぼうはん》カメラにアクセスする許可《きょか》をもらったの。そのとき、最初《さいしょ》に思《おも》いついたのが志保《しほ》だった。志保《しほ》にまた会《あ》いたかった。ずっとずっと謝《あやま》りたかったから……」

直美《なおみ》はアメリカの小学校《しょうがっこう》にいた頃《ころ》の写真《しゃしん》――幼《おさな》い志保《しほ》が写《うつ》っている写真《しゃしん》を何枚《なんまい》かパソコンに取《と》り込《こ》み、『老若認証《ろうにゃくにんしょう》』にかけたという。すると、日本《にっぽん》の街中《まちなか》を歩《ある》く成長《せいちょう》した志保《しほ》の画像《がぞう》が出《で》てきて、『老若認証《ろうにゃくにんしょう》・一致《いっち》』と表示《ひょうじ》された。さらに驚《おどろ》いたことに、幼《おさな》い頃《ころ》の志保《しほ》にそっくりな女《おんな》の子《こ》の画像《がぞう》も出《で》てきて、こちらも『老若認証《ろうにゃくにんしょう》・一致《いっち》』と表示《ひょうじ》されたのだ。

「なぜかあなたもヒットして、それがどういうことなのか今《いま》でもわからないんだけど……」

直美《なおみ》の説明《せつめい》を聞《き》いて、灰原《はいばら》はようやく自分《じぶん》の正体《しょうたい》が組織《そしき》にバレた経緯《けいい》がわかった。

直美《なおみ》が申《もう》し訳《わけ》なさそうに肩《かた》をすくめる。

「でもきっと、私《わたし》のせいで巻《ま》き込《こ》まれたんだと思《おも》う」

いいえ――灰原《はいばら》は心《こころ》の中《なか》でつぶやいた。

(巻《ま》き込《こ》んだのは、私《わたし》の方《ほう》……)

7

フィリピン・マニラ――。

高層《こうそう》ビル群《ぐん》や高級《こうきゅう》ショッピングモールが建《た》ち並《なら》ぶ近代的《きんだいてき》な街《まち》。その中心地《ちゅうしんち》にある高級《こうきゅう》ホテルの前《まえ》を、犬《いぬ》のボルゾイを連《つ》れた婦人《ふじん》が優雅《ゆうが》に散歩《さんぽ》をしていた。大《おお》きなつばの帽子《ぼうし》を被《かぶ》りサングラスをかけたその婦人《ふじん》は、ベルモットだった。豪華《ごうか》な噴水《ふんすい》の前《まえ》で立《た》ち止《ど》まり、手《て》に取《と》ったスマホを見《み》る。グリーンのマニキュアがほどこされた指先《ゆびさき》の下《した》には、【――をつぶせ】と受信《じゅしん》メールの文字《もじ》の一部《いちぶ》が見《み》えた。

（そう言《い》うと思《おも》ったわ……）

ベルモットはニヤリと微笑《ほほえ》み、メールを打《う》つ。

【了解《りょうかい》、ボス】

送信《そうしん》ボタンを押《お》すと、再《ふたた》び歩《ある》き出《だ》した。

散歩《さんぽ》を終《お》えたベルモットは、とあるメイクスタジオに向《む》かった。

誰《だれ》もいない部屋《へや》でキャミソール姿《すがた》になり、大《おお》きな鏡《かがみ》の前《まえ》に腰《こし》かけて、長《なが》い髪《かみ》をアップにまとめる。スツールから下《お》りたベルモットは、床《ゆか》に置《お》いた大《おお》きなスーツケースを開《あ》けた。

中《なか》には、特殊《とくしゅ》メイクの道具《どうぐ》やたくさんのウィッグ、さらに老人向《ろうじんむ》きの地味《じみ》な服《ふく》や女子高生《じょしこうせい》の制服《せいふく》など様々《さまざま》な衣装《いしょう》が隙間《すきま》なくびっしりと詰《つ》められている。

それらを見《み》てベルモットが微笑《ほほえ》んでいると、床《ゆか》に寝《ね》そべっていたボルゾイが起《お》きて、ベルモットにじゃれついてきた。

「あん、邪魔《じゃま》しないの」

ベルモットは愛《いと》しそうにボルゾイの頭《あたま》をなでて、頬《ほお》ずりをした。


防犯《ぼうはん》カメラ映像《えいぞう》を見《み》て何《なに》かに気《き》づいたレオンハルトは、パシフィック・ブイ内《ない》の居住《きょじゅう》エリアに向《む》かい、ある人物《じんぶつ》の部屋《へや》を訪《おとず》れた。

「あれはどういうことだ！」

部屋《へや》に入《はい》るなり、レオンハルトは声《こえ》を荒《あら》らげた。部屋《へや》はビジネスホテルのようなコンパクトな造《つく》りになっていて、その人物《じんぶつ》は奥《おく》に置《お》かれたベッドの前《まえ》に立《た》っている。

「なんとか言《い》ったらどうなんだ！　あのログは昨夜《ゆうべ》お前《まえ》がメインルームにいたときの――」

部屋《へや》の奥《おく》に入《はい》ってきたレオンハルトは、その人物《じんぶつ》が後《うし》ろに回《まわ》した手《て》に何《なに》かを持《も》っているのに気《き》づいた。

「何《なに》やってんだ、お前《まえ》」

その人物《じんぶつ》はニヤリと笑《わら》った。その態度《たいど》にイラついたレオンハルトは、相手《あいて》の手《て》をつかもうと飛《と》び出《だ》した。するとその人物《じんぶつ》は伸《の》びてきたレオンハルトの手《て》をすばやく左手《ひだりて》で払《はら》い、そのままレオンハルトの頭《あたま》を持《も》って抱《かか》え込《こ》むと、ベッドに押《お》し倒《たお》した。

「ぐがっ！　ぐう……っ！」

もがくレオンハルトを力《ちから》づくで押《お》さえつけながら、右手《みぎて》に持《も》ったハンカチでレオンハルトの鼻《はな》と口元《くちもと》を覆《おお》う。

やがて動《うご》きが止《と》まり、レオンハルトの頭《あたま》と手足《てあし》が力《ちから》なく垂《た》れた。

八重根漁港《やえねぎょこう》に鈴木財閥《すずきざいばつ》のクルーザーが着岸《ちゃくがん》すると、子供達《こどもたち》は渋々乗《しぶしぶの》り込《こ》んだ。

「蘭《らん》は本当《ほんとう》に残《のこ》るの？」

クルーザーの前《まえ》で園子《そのこ》がたずねると、蘭《らん》は「うん」とうなずいた。

「哀《あい》ちゃんが心配《しんぱい》だし」

「だよね……」

園子《そのこ》が表情《ひょうじょう》を曇《くも》らせると、蘭《らん》は少《すこ》し微笑《ほほえ》んで隣《となり》の阿笠博士《あがさはかせ》を見《み》た。

「でも大丈夫《だいじょうぶ》。博士《はかせ》も残《のこ》ってくれるし」

「すまんが、子供達《こどもたち》を頼《たの》むわい」

「まぁ、あのガキんちょどもの世話《せわ》はわたしに任《まか》しといて！　慣《な》れたもんよ」

園子《そのこ》は明《あか》るい口調《くちょう》で言《い》いながら、背後《はいご》のクルーザーを親指《おやゆび》で指《さ》して自分《じぶん》の胸《むね》を叩《たた》いた。

「園子《そのこ》、ありがとう」

蘭《らん》は園子《そのこ》の優《やさ》しさに感謝《かんしゃ》した。

園子《そのこ》が乗《の》り込《こ》んでから間《ま》もなく、クルーザーが出航《しゅっこう》した。二階《にかい》のデッキから子供達《こどもたち》が大《おお》きく手《て》を振《ふ》る。

「じゃあなー！　お土産《みやげ》いっぱい買《か》ってきてくれよ〜、絶対《ぜったい》だぞ〜！」

「バイバーイ！」

「またみんなで一緒《いっしょ》に来《き》ましょうね！」

蘭《らん》と阿笠博士《あがさはかせ》もクルーザーに向《む》かって手《て》を振《ふ》った。園子《そのこ》と子供達《こどもたち》を乗《の》せたクルーザーは白《しろ》い波《なみ》を残《のこ》して遠《とお》ざかり、やがて小《ちい》さな点《てん》になって見《み》えなくなった。

メインルームでは、エンジニア達《たち》が防犯《ぼうはん》カメラの映像《えいぞう》を改《かい》ざんしたログを探《さが》していた。コンソールを操作《そうさ》していたエドが突然《とつぜん》、えっ？　と声《こえ》を漏《も》らす。

「ちょっとみんな、これ見《み》てよ！」

巨大《きょだい》モニターに英文《えいぶん》メール画面《がめん》を表示《ひょうじ》させたエドは、椅子《いす》をくるりと回転《かいてん》させて牧野《まきの》のデスクの方《ほう》を向《む》いた。

「レオンハルトからだわ！」

差出人《さしだしにん》の名前《なまえ》を見《み》たグレースが身《み》を乗《の》り出《だ》す。すばやくメールを一読《いちどく》した牧野《まきの》は、青《あお》ざめた顔《かお》で立《た》ち上《あ》がった。

「……そんな……どうして……」

英語《えいご》が読《よ》めない小五郎《こごろう》が「え、何《なに》？　何《なに》？」と牧野《まきの》のデスクに近《ちか》づく。すると、牧野《まきの》より先《さき》にコナンが英文《えいぶん》メールを訳《やく》した。

「直美《なおみ》さんを拉致《らち》した犯人《はんにん》を手引《てび》きするため、システムにバックドアを仕掛《しか》けたって！」

「ええっ!?　……え？」

メールの内容《ないよう》に驚《おどろ》いた小五郎《こごろう》は、同時《どうじ》にコナンが英語《えいご》を読《よ》んだことに驚《おどろ》く。

「拉致《らち》の実行犯《じっこうはん》については……」

目暮《めぐれ》が小五郎《こごろう》の肩越《かたご》しにたずねると、

「金《かね》で雇《やと》われたから不明《ふめい》だそうだ」

そばにいた黒田《くろだ》が先《さき》に答《こた》える。

一同《いちどう》が英文《えいぶん》メールを注視《ちゅうし》する中《なか》、コンソールを操作《そうさ》していたグレースが「レオンハルトを見《み》つけました！」と叫《さけ》んだ。

「カフェにいます！」

巨大《きょだい》モニターにカフェ内《ない》の監視《かんし》カメラの映像《えいぞう》が映《うつ》し出《だ》された。右手《みぎて》にコーヒーの紙《かみ》コップを持《も》ったレオンハルトが立《た》ち止《ど》まり、何《なに》かをつまんだ左手《ひだりて》の指先《ゆびさき》をじっと見《み》ている。

「あれは？　薬《くすり》か？」

「なんだ……？」

目暮《めぐれ》と牧野《まきの》がつぶやきながら、巨大《きょだい》モニターを注視《ちゅうし》する。すると、レオンハルトがつまんだものを口《くち》に入《い》れ、さらにコーヒーを飲《の》んだ。紙《かみ》コップの縁《ふち》を左手《ひだりて》の親指《おやゆび》で拭《ぬぐ》い、歩《ある》き出《だ》す。

「ねえ、なんか……」

「様子《ようす》が変《へん》だぞ！」

異変《いへん》に気《き》づいたのはグレースとエドだった。

歩《ある》き出《だ》したレオンハルトが苦《くる》しそうに口《くち》を押《お》さえ、身《み》をよじった。そのままふらふらと前《まえ》のめりに進《すす》み、中央《ちゅうおう》のテーブルに倒《たお》れ込《こ》む。

「あっ！」

レオンハルトの体《からだ》がずるりとテーブルから滑《すべ》り落《お》ちた。床《ゆか》に倒《たお》れたレオンハルトは、テーブルの陰《かげ》になっていて見《み》えない。

「レオンハルト！　違《ちが》うカメラを早《はや》く!!」

牧野《まきの》が叫《さけ》ぶと、別《べつ》の防犯《ぼうはん》カメラの映像《えいぞう》に切《き》り替《か》わった。それは、先《さき》ほどのカメラと反対《はんたい》側《がわ》に設置《せっち》されたカメラの映像《えいぞう》だった。

テーブルの下《した》でうつ伏《ぶ》せに倒《たお》れたレオンハルトが映《うつ》っている。持《も》っていたコーヒーがぶちまけられて、床《ゆか》に茶色《ちゃいろ》いしみが広《ひろ》がっていた。

レオンハルトが死亡《しぼう》したカフェの入《い》り口《ぐち》には、すぐさま黄色《きいろ》いテープで規制線《きせいせん》が張《は》られ、職員《しょくいん》たちがテープの外側《そとがわ》に集《あつ》まっていた。

「誰《だれ》か、見《み》てたスタッフはいないか？」

規制線《きせいせん》の内側《うちがわ》に入《はい》っている牧野《まきの》がたずねると、一番前《いちばんまえ》の職員《しょくいん》が「定例《ていれい》の清掃時間《せいそうじかん》でしたから」と答《こた》えた。

「……ああ、そういえばそうだったか」

腕時計《うでどけい》の日付《ひづけ》を見《み》ながら、牧野《まきの》が言《い》った。入《い》り口近《ぐちちか》くの壁際《かべぎわ》に立《た》って考《かんが》え事《ごと》にふけっていたコナンは、部屋《へや》の奥《おく》に進《すす》んだ。中央《ちゅうおう》のテーブル辺《あた》りでは、白鳥《しらとり》と佐藤《さとう》がレオンハルトの遺体《いたい》を調《しら》べている。

うつ伏《ぶ》せで倒《たお》れたレオンハルトの背中《せなか》には、倒《たお》れた椅子《いす》の背《せ》もたれが載《の》っていた。右手《みぎて》のそばにはコーヒーの紙《かみ》コップが落《お》ちていて、横《よこ》に向《む》いたレオンハルトの顔《かお》や床《ゆか》に茶色《ちゃいろ》い液体《えきたい》が盛大《せいだい》にぶちまけられている。

遺体《いたい》のそばにしゃがみ込《こ》んだ佐藤《さとう》は、コーヒーにまみれたレオンハルトの口元《くちもと》を見《み》た。

「口《くち》の周《まわ》りがただれてる。……毒物《どくぶつ》かしら？」

佐藤《さとう》のつぶやきに、そばにいたコナンも身《み》を乗《の》り出《だ》してレオンハルトの口元《くちもと》を嗅《か》ぐ。

「じゃあ、このニオイって？」

コナンがたずねると、白鳥《しらとり》もレオンハルトの口元《くちもと》を嗅《か》いだ。

「コーヒーのニオイだね」

「それもするけど、ほんの微《かす》かにシンナーみたいなニオイがしない？」

コナンが言《い》ったとたん、小五郎《こごろう》に後《うし》ろ襟《えり》をつかまれて引《ひ》っ張《ぱ》り上《あ》げられた。

「まーた、いつもいつも現場《げんば》を惑《まど》わせるようなことばっかり言《い》って！　どう見《み》ても服毒自《ふくどくじ》殺《さつ》だろうが!!」

見慣《みな》れた光景《こうけい》に、佐藤《さとう》が「まぁまぁ」と小五郎《こごろう》をなだめる。

「でも変《へん》じゃない？」

持《も》ち上《あ》げられたコナンが言《い》うと、小五郎《こごろう》は「何《なに》が！」と吠《ほ》えた。

「レオンハルトさんは自分《じぶん》のお部屋《へや》があるんでしょ？　なんでカフェで死《し》んじゃったのかなぁ」

コナンの言葉《ことば》に、佐藤《さとう》がハッとする。

「……確《たし》かにそうよね」

「そんなの決《き》まってんだろ。最後《さいご》にうまいコーヒーが飲《の》みたかったんだよ！」

自信満々《じしんまんまん》に答《こた》える小五郎《こごろう》に、コナンは（おいおい）と心《こころ》の中《なか》で突《つ》っ込《こ》んだ。

そして改《あらた》めてレオンハルトの遺体《いたい》に目《め》を向《む》ける。コーヒーまみれになっている遺体《いたい》を見《み》て、コナンはレオンハルトが倒《たお》れたときの映像《えいぞう》を頭《あたま》に浮《う》かべた。

(ってか、あの紙《かみ》コップの落《お》ち方《かた》で、こんなふうになるか……？)

倒《たお》れたときに落《お》としたコーヒーが、ここまで顔《かお》や体《からだ》にかかるものだろうか――コナンが不審《ふしん》に思《おも》いながら遺体《いたい》を見《み》つめていると、そばに立《た》っていた黒田《くろだ》が目暮《めぐれ》に声《こえ》をかけた。

「遺体《いたい》はヘリで運《はこ》び、解剖《かいぼう》を依頼《いらい》する」

「はっ」

入《い》り口《ぐち》に向《む》かおうとする目暮《めぐれ》に、牧野《まきの》が「あの」と声《こえ》をかける。

「日本《にっぽん》の警察《けいさつ》は、自殺《じさつ》の遺体《いたい》は司法解剖《しほうかいぼう》しないはずでは？」

「……念《ねん》のためですよ」

黒田《くろだ》の猛禽《もうきん》のような鋭《するど》い目《め》で見据《みす》えられて、牧野《まきの》は思《おも》わず視線《しせん》をそらした。そんな牧野《まきの》の脇《わき》を、目暮《めぐれ》が小走《こばし》りですれ違《ちが》っていく。

潜水艦《せんすいかん》の居住区《きょじゅうく》にある部屋《へや》で両手両足《りょうてりょうあし》を縛《しば》られた直美《なおみ》と灰原《はいばら》は、二段《にだん》ベッドの下段《げだん》に並《なら》んで座《すわ》っていた。

「拉致《らち》された理由《りゆう》に、心当《こころあ》たりは？」

灰原《はいばら》がたずねると、直美《なおみ》はぽつりぽつりと話《はな》し出《だ》した。

「……『老若認証《ろうにゃくにんしょう》』が完成《かんせい》したとき、接触《せっしょく》してきた人物《じんぶつ》がいたの」

「会《あ》ったの？」

直美《なおみ》は首《くび》を横《よこ》に振《ふ》った。

「メールだったから……でも、『ピンガ』って名乗《なの》ってた」

「ピンガ……」

(ブラジル原産《げんさん》の蒸留酒《じょうりゅうしゅ》ね)

灰原《はいばら》はその名前《なまえ》が組織《そしき》のコードネームだとすぐに理解《りかい》した。

「莫大《ばくだい》な報酬《ほうしゅう》を提示《ていじ》されて、システムの独占使用《どくせんしよう》と改良《かいりょう》を打診《だしん》されたけど、断《ことわ》った。そのときにはもう、インターポールのために使《つか》うシステムだと決《き》めてたから」

「……つまり、『老若認証《ろうにゃくにんしょう》』は、それだけ組織《かれら》にとって価値《かち》がある」

灰原《はいばら》は頭《あたま》の中《なか》で考《かんが》えていたことを声《こえ》に出《だ》していた。

「彼等《かれら》？」

ドアの方《ほう》から声《こえ》がして、灰原《はいばら》は驚《おどろ》いて振《ふ》り返《かえ》った。いつの間《ま》にかドアが少《すこ》し開《ひら》いていて、ウォッカが立《た》っていた。

「その『彼等《かれら》』って言《い》い方《かた》、ホントにシェリーみたいだぜ。昔《むかし》からアイツは馴染《なじ》んでなかったからな」

嫌味《いやみ》な笑《え》みを浮《う》かべながら部屋《へや》に入《はい》ってきたウォッカは、ダンッと壁《かべ》に足《あし》をついた。

「で、俺達《おれたち》のためにシステムを改良《かいりょう》する決心《けっしん》はついたか？」

「…………」

直美《なおみ》は答《こた》えなかった。ウォッカがチッと舌打《したう》ちをする。

「しょうがねぇな。——立《た》て！」

ベッドに近《ちか》づいたウォッカは、直美《なおみ》の襟元《えりもと》をつかんで引《ひ》き上《あ》げると、そのまま無理《むり》やり部屋《へや》の外《そと》へ連《つ》れ出《だ》した。

「入《はい》れ！」

ウォッカが直美《なおみ》を連《つ》れてきたのは、キールがいる応接室《おうせつしつ》だった。ドアの前《まえ》でウォッカに押《お》し出《だ》されて、直美《なおみ》は床《ゆか》に倒《たお》れる。

「ウォッカ」

ソファに座《すわ》っていたキールは、ウォッカに近《ちか》づいた。

「どうした？」

「始末《しまつ》したって」

キールが小声《こごえ》で伝《つた》えると、ウォッカは「何《なに》？」と眉《まゆ》をひそめた。

「ピンガの奴《やつ》、計画《けいかく》にない行動《こうどう》しやがって……」

部屋《へや》に一人残《ひとりのこ》された灰原《はいばら》は、キールのパーカーのフードに入《い》れた盗聴器《とうちょうき》で、ウォッカ達《たち》の会話《かいわ》を聴《き》いていた。

(計画《けいかく》にない行動《こうどう》……？)

一体《いったい》なんのことだろう——灰原《はいばら》が注意深《ちゅういぶか》く耳《みみ》を澄《す》ましていると、

『さっさと来《こ》い！』

ウォッカの怒鳴《どな》り声《ごえ》が聞《き》こえてきた。

床《ゆか》に倒《たお》れた直美《なおみ》を引《ひ》っ張《ぱ》り上《あ》げたウォッカは、パソコンがあるデスクまで歩《ある》かせた。

「これを見《み》ろ」

直美《なおみ》の頭《あたま》をつかみ、顔《かお》をモニターに向《む》ける。モニター画面《がめん》に表示《ひょうじ》された男性《だんせい》の写真《しゃしん》を見《み》たとたん、直美《なおみ》の表情《ひょうじょう》が凍《こお》りついた。

「父《とう》さん……！」

メガネをかけ、口《くち》ひげをたくわえたイタリア系《けい》の男性《だんせい》は、直美《なおみ》の父親《ちちおや》だった。

「父《ちち》をどうする気《き》⁉」

「頭《あたま》のいいお前《まえ》なら、想像《そうぞう》できるだろ？」

ウォッカはニヤリと微笑《ほほえ》んだ。直美《なおみ》の脳裏《のうり》に、老若認証《ろうにゃくにんしょう》システムが瞬時《しゅんじ》に浮《う》かぶ。ウォッカは直美《なおみ》の父親《ちちおや》を老若認証《ろうにゃくにんしょう》システムで探《さが》して、危害《きがい》を加《くわ》えるつもりなのだ。

「あれは……私《わたし》の父《ちち》が世界平和《せかいへいわ》に生《い》かしたいと言《い》って、実現《じつげん》してくれたシステムよ！」

「そんな素敵《すてき》な父親《ちちおや》を見殺《みごろ》しにするってのか。ひでぇ娘《むすめ》だな」

頭《あたま》をつかまれた直美《なおみ》は、横目《よこめ》でウォッカをにらみつけた。その目《め》には涙《なみだ》が浮《う》かんでいる。

「あなた達《たち》には絶対《ぜったい》に渡《わた》さない‼」

ウォッカと直美《なおみ》の会話《かいわ》を盗聴《とうちょう》していた灰原《はいばら》は、ベッドの上《うえ》で唇《くちびる》を噛《か》みしめた。

組織《そしき》に殺《ころ》された姉《あね》の顔《かお》が浮《う》かぶ。

組織《そしき》のやり方《かた》は、いつも非道《ひどう》で卑劣《ひれつ》だ。

『ほぉ……それじゃあお楽《たの》しみタイムといくか』

あざ笑《わら》うウォッカの声《こえ》が聞《き》こえてきた。灰原《はいばら》の胸《むね》に怒《いか》りと悲《かな》しみの感情《かんじょう》が渦巻《うずま》いて、顔《かお》をゆがめる。

(助《たす》けて、工藤君《くどうくん》――)

後《うし》ろ手《で》に縛《しば》られた手《て》で、灰原《はいばら》は探偵《たんてい》バッジをギュッと握《にぎ》りしめた。


レオンハルトの遺体《いたい》を調《しら》べ終《お》えたコナンたちは、メインルームに戻《もど》っていた。巨大《きょだい》モニターに映《うつ》されたカフェの監視《かんし》カメラ映像《えいぞう》やレオンハルトが最後《さいご》に送《おく》ってきたメールを前《まえ》に、コナンが思案《しあん》を巡《めぐ》らしていると、

「バックドアだ！」

コンソールを操作《そうさ》していたエドが叫《さけ》んだ。

「どういうことだ!?」

自分《じぶん》の席《せき》についていた牧野《まきの》が身《み》を乗《の》り出《だ》す。

「関係者《かんけいしゃ》が検索《けんさく》されたら引《ひ》っかかるように、トラップを仕掛《しか》けておいたんです！」

エドが説明《せつめい》しながら慌《あわ》ただしくキーボードを打《う》つと、巨大《きょだい》モニターにイタリア系《けい》の男性《だんせい》

の写真《しゃしん》が大《おお》きく映《うつ》し出《だ》された。メガネをかけ口《くち》ひげをたくわえたその男性《だんせい》が何者《なにもの》なのか、白鳥《しらとり》たちはわからない。

「誰《だれ》ですか、彼《かれ》は⁉」

「……マリオ・アルジェント！」

グレースが辛《つら》そうな表情《ひょうじょう》で答《こた》える。

「EU《イーユー》議会《ぎかい》の議員《ぎいん》で、直美《なおみ》の父親《ちちおや》です！」

牧野《まきの》が動揺《どうよう》した声《こえ》で付《つ》け加《くわ》えると、

「なんだって⁉」

目暮《めぐれ》たちは目《め》を丸《まる》くした。コナンも驚愕《きょうがく》する。

直美《なおみ》を拉致《らち》した黒《くろ》ずくめの組織《そしき》が、直美《なおみ》の父親《ちちおや》であるマリオを『顔認証《かおにんしょう》』で検索《けんさく》して居《い》場所《ばしょ》を探《さが》しているのだ。

「彼《かれ》のおかげで、ここがユーロポールの防犯《ぼうはん》カメラと繋《つな》げられたんです」

説明《せつめい》する牧野《まきの》の傍《かたわ》らで、グレースが「エド！」と叫《さけ》ぶ。

「今《いま》なら割《わ》り出《だ》せるはずよ！」

「ああ、もうやってるよ！」

エドはモニターを見《み》ながらコンソールを操作《そうさ》した。

「ユーロポールに議員《ぎいん》の保護《ほご》を要請《ようせい》！」

牧野《まきの》の声《こえ》に、そばにいた技術者《ぎじゅつしゃ》が通信用《つうしんよう》マイクへ走《はし》る。


フランクフルトにあるユーロポール・防犯《ぼうはん》カメラ・ネットワークセンター。そのコントロールルームに、ハンスとジェイムズの姿《すがた》があった。おびただしい数《かず》のコンソールが並《なら》ぶ中《なか》、二人《ふたり》は険《けわ》しい表情《ひょうじょう》で大《だい》スクリーンを見《み》ている。

「マリオ議員《ぎいん》の所在地《しょざいち》が判明《はんめい》！」

コンソールについた技術者《ぎじゅつしゃ》の一人《ひとり》が声《こえ》を上《あ》げると、大《だい》スクリーンにフランクフルトの街頭《とう》カメラ映像《えいぞう》が映《うつ》し出《だ》された。建物《たてもの》の窓越《まどご》しに室内《しつない》を歩《ある》くマリオの姿《すがた》が映《うつ》っている。映像《えいぞう》の横《よこ》にはフランクフルトのマップと、街頭《がいとう》カメラに映《うつ》っているホテルの外観《がいかん》も表示《ひょうじ》された。

「エッシェンハイマー塔近《とうちか》くのシティホテル401号室《ごうしつ》です！」

ハンスはワイヤレスのイヤホンマイクに向《む》かって告《つ》げた。フランクフルト市内《しない》で待機《たいき》しているジョディとキャメルが車《くるま》で向《む》かうはずだ。

「マリオ議員《ぎいん》に連絡《れんらく》を入《い》れます！」

スマホを片手《かたて》に持《も》ったハンスが足早《あしばや》に部屋《へや》を出《で》て行《い》くと、ジェイムズは再《ふたた》び大《だい》スクリーンに視線《しせん》を戻《もど》した。リアルタイムの映像《えいぞう》の中《なか》で、マリオはホテルの窓辺《まどべ》に置《お》かれたソファに腰《こし》かけて新聞《しんぶん》を読《よ》んでいる。

犯人《はんにん》はジェイムズたちと同時《どうじ》に、ホテルにいるマリオを見《み》つけたはずだ。そして今《いま》、ジョディたちと同《おな》じように向《む》かっているだろう。

あとは時間《じかん》との闘《たたか》いだ。

フランクフルトの中心部《ちゅうしんぶ》にあるエッシェンハイマー塔《とう》の上空《じょうくう》に、黒《くろ》いヘリコプターが姿《すがた》を現《あらわ》した。塔近《とうちか》くのビル屋上《おくじょう》に近《ちか》づいたかと思《おも》うと、ホバリングするヘリコプターからロープが垂《た》らされ、ライフルを背中《せなか》に担《かつ》いだコルンがするすると降《お》りてくる。

ビル屋上《おくじょう》に着地《ちゃくち》したコルンは、ロープを外《はず》してエッシェンハイマー塔《とう》の方向《ほうこう》へ走《はし》った。屋上《おくじょう》の縁《ふち》まで来《き》て、ライフルを構《かま》えてスコープを覗《のぞ》く。エッシェンハイマー塔《とう》の向《む》かい側《がわ》にある、シティホテルがスコープに入《はい》った。ゆっくりとスコープを動《うご》かすと、窓際《まどぎわ》で新聞《しんぶん》を読《よ》んでいるマリオの姿《すがた》を捉《とら》える。

「見《み》つけた。マリオ」

コルンはライフルの引《ひ》き金《がね》に人差《ひとさ》し指《ゆび》をかけた。

「いつでもいい」

潜水艦《せんすいかん》の中《なか》で、直美《なおみ》はマリオのリアルタイム映像《えいぞう》を見《み》せられていた。

「父《とう》さん！　早《はや》く逃《に》げて!!」

後《うし》ろ手《で》に縛《しば》られた直美《なおみ》は、モニターに映《うつ》る父親《ちちおや》に向《む》かって叫《さけ》ぶ。背後《はいご》に立《た》ったウォッカは、ニヤニヤと面白《おもしろ》そうに笑《わら》った。

「早《はや》いとこ決心《けっしん》した方《ほう》がいいぜ？」

「父《とう》さん！　逃《に》げてぇー!!」

直美《なおみ》の悲痛《ひつう》な叫《さけ》びが室内《しつない》に響《ひび》いた。父親《ちちおや》を呼《よ》ぶその叫《さけ》びが、そばで見《み》ていたキールの記《き》憶《おく》を呼《よ》び覚《さ》ます。

＊＊＊

キール──表《おもて》の顔《かお》はアナウンサーの水無怜奈《みずなしれな》、本名《ほんみょう》は本堂瑛海《ほんどうひでみ》。彼女《かのじょ》の父親《ちちおや》は、娘《むすめ》と同《おな》じCIA《シーアイエー》の諜報員《ちょうほういん》で、組織《そしき》に潜入《せんにゅう》していた。

同《おな》じく組織《そしき》に潜入《せんにゅう》した瑛海《ひでみ》の任務《にんむ》は、父親《ちちおや》のイーサン・本堂《ほんどう》に新《あたら》しい繋《つな》ぎ役《やく》の諜報員《ちょうほういん》を紹介《しょうかい》することだった。組織《そしき》の次《つぎ》の取引場所《とりひきばしょ》にイーサンが下見《したみ》に来《く》ることを知《し》った瑛海《ひでみ》は、新《あたら》しい繋《つな》ぎ役《やく》を紹介《しょうかい》するために、取引場所《とりひきばしょ》である横浜《よこはま》の廃倉庫《はいそうこ》でイーサンと落《お》ち合《あ》った。

しかしそのとき、瑛海《ひでみ》の上着《うわぎ》の襟《えり》の裏《うら》には発信器《はっしんき》が取《と》り付《つ》けられていた。新入《しんい》りの瑛海《ひでみ》を見張《みは》るために、組織《そしき》がつけたのだ。

倉庫《そうこ》の外《そと》からジンの車《くるま》のエンジン音《おと》が聞《き》こえてきて、娘《むすめ》の正体《しょうたい》がバレると思《おも》ったイーサンは、瑛海《ひでみ》を殴《なぐ》り、さらに銃《じゅう》で瑛海《ひでみ》の肩《かた》を撃《う》った。

自分《じぶん》の手首《てくび》を噛《か》み、瑛海《ひでみ》の口《くち》に血《ち》まみれの手首《てくび》を突《つ》っ込《こ》むと、持《も》っていた拳銃《けんじゅう》を握《にぎ》らせる。

「諦《あきら》めるなよ、瑛海《ひでみ》!!」

口元《くちもと》を血《ち》だらけにしたイーサンは、瑛海《ひでみ》をまっすぐ見据《みす》えて力強《ちからづよ》く言《い》った。

「待《ま》ち続《つづ》ければ必《かなら》ず味方《みかた》が現《あらわ》れる!! 俺《おれ》の代《か》わりに任務《にんむ》を全《まっと》うしろ!!」

それが最期《さいご》の言葉《ことば》だった。

イーサンは瑛海《ひでみ》に握《にぎ》らせた拳銃《けんじゅう》の銃口《じゅうこう》を自分《じぶん》の顎《あご》に当《あ》て、引《ひ》き金《がね》を引《ひ》いた。

＊＊＊

（父《とう》さん……）

父親《ちちおや》の最期《さいご》の姿《すがた》を思《おも》い出《だ》したキールは、拳《こぶし》をギュッと握《にぎ》りしめた。

「逃《に》げてぇ！　父《とう》さん!!」

目《め》の前《まえ》では、ウォッカに首《くび》の後《うし》ろをつかまれた直美《なおみ》が泣《な》き叫《さけ》んでいる。

キールはモニターの映像《えいぞう》に目《め》を向《む》けた。

キールたちが見《み》ている街頭《がいとう》カメラの映像《えいぞう》の中《なか》で、窓際《まどぎわ》のソファで新聞《しんぶん》を読《よ》んでいたマリオがスマホを手《て》に取《と》って立《た》ち上《あ》がった。新聞《しんぶん》をベッドに放《ほう》り、歩《ある》きながら何《なに》やら話《はな》し込《こ》むと突然足《とつぜんあし》を止《と》めて、窓《まど》を振《ふ》り返《かえ》る。慌《あわ》てて窓《まど》に駆《か》け寄《よ》って外《そと》を見渡《みわた》したかと思《おも》うと、すぐに壁《かべ》の陰《かげ》に隠《かく》れた。

「気《き》づかれた」

ビルの屋上《おくじょう》でライフルの引《ひ》き金《がね》に指《ゆび》をかけていたコルンは、スコープから顔《かお》を上《あ》げた。

「でも逃《のが》さない」

ぽつりとつぶやいたコルンは、スコープを覗《のぞ》きながらライフルをエッシェンハイマー塔《とう》前《まえ》の交差点《こうさてん》に向《む》けた。

ひっきりなしに車《くるま》が行《ゆ》き交《か》う交差点《こうさてん》の中《なか》で、コルンはシティホテル方向《ほうこう》に進《すす》むトラックをスコープの十字線《じゅうじせん》に捉《とら》えた。

シティホテルの前《まえ》に急停車《きゅうていしゃ》した車《くるま》から、ジョディが飛《と》び出《だ》した。運転席《うんてんせき》のキャメルもドアを開《あ》けて出《で》てくる。

二人《ふたり》がホテルの正面入《しょうめんい》り口《ぐち》に向《む》かったそのとき——バンッ！

交差点《こうさてん》の方《ほう》で破裂音《はれつおん》がした。ジョディが振《ふ》り向《む》くと、タイヤを撃《う》たれて横転《おうてん》したトラックが火花《ひばな》を散《ち》らしながら路面《ろめん》を滑走《かっそう》し、その車体《しゃたい》に後続車《こうぞくしゃ》が続々《ぞくぞく》と突《つ》き当《あ》たった。

激《はげ》しい衝撃音《しょうげきおん》とともに土煙《つちけむり》が上《あ》がり、塔《とう》にとまっていた鳥《とり》がいっせいに飛《と》び立《た》っていく——。

目《め》の前《まえ》で突然起《とつぜんお》きた惨事《さんじ》に、ジョディはしばし呆然《ぼうぜん》とした。が、すぐにこれが罠《わな》だと気《き》づいてホテルを振《ふ》り返《かえ》る。

衝突事故《しょうとつじこ》の音《おと》に気《き》づいたマリオが、壁《かべ》の陰《かげ》から半身《はんしん》を出《だ》して窓《まど》の外《そと》を覗《のぞ》いている――！

「窓《まど》から離《はな》れて!!」

ジョディが叫《さけ》ぶと同時《どうじ》に、ホテルの窓《まど》ガラスが撃《う》ち抜《ぬ》かれてマリオが床《ゆか》に倒《たお》れた。


「いやあああ――!!」

マリオが撃《う》たれたのを見《み》て、直美《なおみ》は絶叫《ぜっきょう》した。

「次《つぎ》はお前《まえ》の母親《ははおや》だ」

泣《な》きながら首《こうべ》を垂《た》れる直美《なおみ》に、ウォッカは冷《ひ》ややかに言《い》った。

「それでも俺達《おれたち》との取引《とりひき》を断《ことわ》る気《き》か？　よぉく考《かんが》えた方《ほう》がいいぜ」

それは本当《ほんとう》に一瞬《いっしゅん》の出来事《できごと》だった。マリオが壁《かべ》の陰《かげ》から半身《はんしん》を出《だ》した瞬間《しゅんかん》、撃《う》たれたのだ。

メインルームで巨大《きょだい》モニターに映《うつ》されたカメラ映像《えいぞう》を見《み》ていた人々《ひとびと》は、あまりにも一瞬《いっしゅん》すぎる出来事《できごと》に、呆然《ぼうぜん》とする。

床《ゆか》に倒《たお》れたマリオの体《からだ》は壁《かべ》に隠《かく》れて、投《な》げ出《だ》された足《あし》だけが見《み》えた。その足《あし》はピクリとも動《うご》かない。

「くそっ……！」

コナンは悔《くや》しそうに顔《かお》をゆがめた。

居住区《きょじゅうく》の部屋《へや》に戻《もど》されてからも、直美《なおみ》はベッドに突《つ》っ伏《ぷ》して泣《な》き続《つづ》けた。

「私《わたし》が……私《わたし》が父《ちち》を殺《ころ》した……!!」

部屋《へや》の外《そと》には直美《なおみ》を連《つ》れ戻《もど》したキールが残《のこ》っていた。直美《なおみ》の悲痛《ひつう》な叫《さけ》びを聞《き》いて、怒《いか》りに顔《かお》をゆがめる。

ベッドの上《うえ》に座《すわ》った灰原《はいばら》は、泣《な》き続《つづ》ける直美《なおみ》を見守《みまも》ることしかできなかった。

「あのときと同《おな》じように……今度《こんど》は父《とう》さんを見捨《みす》てた！」

「違《ちが》う。あなたは――」

言《い》いかけたとき、直美《なおみ》が顔《かお》を上《あ》げて灰原《はいばら》を見《み》た。

「このままじゃ、あなたも殺《ころ》されちゃう！　私《わたし》のせいでみんな……！」

うつむいた直美《なおみ》の目《め》から、大粒《おおつぶ》の涙《なみだ》がこぼれる。

灰原《はいばら》は、組織《そしき》に殺《ころ》された姉《あね》のことを思《おも》い出《だ》した。両親《りょうしん》を早《はや》くに亡《な》くして、唯一《ゆいいつ》の肉親《にくしん》だった姉《あね》。楽《たの》しそうに街《まち》を歩《ある》く姉《あね》の姿《すがた》が思《おも》い浮《う》かぶ。

気《き》づいたら灰原《はいばら》の目《め》からも涙《なみだ》があふれていた。

「うっ、ううっ……」

直美《なおみ》のしゃくり上《あ》げる声《こえ》を聞《き》きながら、灰原《はいばら》は声《こえ》を押《お》し殺《ころ》して泣《な》いた。


蘭《らん》と阿笠博士《あがさはかせ》は、丑尾《うしお》のクルーザーに乗《の》っていた。

園子《そのこ》たちを見送《みおく》った後《あと》、パシフィック・ブイにいるコナンや小五郎《こごろう》に電話《でんわ》を何度《なんど》もかけてみたが一向《いっこう》に出《で》ないので、何《なに》かあったのかもしれないと心配《しんぱい》になり、丑尾《うしお》にパシフィック・ブイに連《つ》れていってほしいと頼《たの》んだのだ。

「丑尾《うしお》さん、すみません」

ライフ・ジャケットを着《つ》けた蘭《らん》は二階《にかい》の操縦席《そうじゅうせき》に上《あ》がり、丑尾《うしお》に頭《あたま》を下《さ》げた。

「気《き》にするな。パシフィック・ブイは俺《おれ》も近《ちか》くで見《み》てみたかったんだ。それに彼《かれ》の頼《たの》みだしな」

「え？」

丑尾《うしお》が正面《しょうめん》のデッキに立《た》っている阿笠博士《あがさはかせ》に目《め》を向《む》けた。デッキの隅《すみ》には、阿笠博士《あがさはかせ》が持《も》ってきた水中《すいちゅう》スクーターと海中《かいちゅう》ヘッドセットが置《お》かれている。

「彼《かれ》が作《つく》った発明品《はつめいひん》を見《み》せてもらった。大《たい》した男《おとこ》だよ、阿笠《あがさ》さんは」

「……はい」

蘭《らん》は返事《へんじ》をしながら、阿笠博士《あがさはかせ》を頼《たの》もしそうに見《み》た。

8

西《にし》に傾《かたむ》き始《はじ》めた陽《ひ》の光《ひかり》を受《う》けて、パシフィック・ブイが浮《う》かぶ海《うみ》は黄金色《こがねいろ》に輝《かがや》いていた。

「わかった！　サーバー特定《とくてい》！」

コンソールに向《む》かっていたエドが、牧野《まきの》のデスクを振《ふ》り返《かえ》った。システムにバックドアを仕掛《しか》けた犯人《はんにん》のサーバーが特定《とくてい》できたのだ。

「どのくらいでバックドアを閉《と》じられる？」

「二《に》、三時間《さんじかん》ってとこかな」

答《こた》えながら、エドはコンソールを操作《そうさ》する。

「頼《たの》むぞ、エド」

とつぶやく牧野《まきの》の奥《おく》で、モニターのソナー画面《がめん》を見《み》ていた技術者《ぎじゅつしゃ》が「局長《きょくちょう》！」と呼《よ》んだ。

「ソナーが反応《はんのう》しています。ここから二《に》キロ以内《いない》、スクリュー音《おん》です」

スクリュー音《おん》と聞《き》いて、コナンは安室《あむろ》からの電話《でんわ》を思《おも》い出《だ》した。

〝奴《やつ》は空《そら》から合流《ごうりゅう》する。つまりそのとき、潜水艦《せんすいかん》は浮上《ふじょう》せざるを得《え》ない〟

潜水艦《せんすいかん》が浮上《ふじょう》し始《はじ》めている——そう気《き》づいたコナンは、メインルームを飛《と》び出《だ》した。

深《ふか》い海《うみ》を潜《もぐ》っていた潜水艦《せんすいかん》は、メインバラストタンクと呼《よ》ぶ空間《くうかん》に溜《た》めていた海水《かいすい》を吐《は》き出《だ》し、浮上《ふじょう》を始《はじ》めた。

ベッドの上《うえ》に座《すわ》り込《こ》んでいた灰原《はいばら》の体《からだ》がグラリと傾《かたむ》く。

(浮上《ふじょう》してる……)

潜水艦《せんすいかん》が浮上《ふじょう》しているのに気《き》づいたとき、後《うし》ろ手《で》に縛《しば》られた手《て》の中《なか》の探偵《たんてい》バッジから、コナンの声《こえ》が聞《き》こえてきた。

『……ばら……えるか……』

「江戸川君《えどがわくん》!?」

灰原《はいばら》は体《からだ》をひねってバッジに呼《よ》びかけた。

『……灰原《はいばら》、聞《き》こえるか!?』

「江戸川君《えどがわくん》！　聞《き》こえるわ！」

『今《いま》、潜水艦《せんすいかん》の中《なか》か!?』

灰原《はいばら》は目《め》を見張《みは》った。背《せ》を向《む》けて寝転《ねころ》がっていた直美《なおみ》の肩《かた》もピクリと反応《はんのう》する。

「どうしてそれを……!?」

コントロールルームを出《で》たコナンは、エレベータで海上部《かいじょうぶ》に上《あ》がり、探偵《たんてい》バッジで灰原《はいばら》に呼《よ》びかけていた。

「灰原《はいばら》、よく聞《き》け！　お前《まえ》を拉致《らち》した後《あと》、奴等《やつら》は車《くるま》ごと海《うみ》に飛《と》び込《こ》んだ。艦橋《かんきょう》から乗《の》り込《こ》んだ様子《ようす》はなかった。海中《かいちゅう》で車《くるま》から脱出《だっしゅつ》し、そのまま乗《の》り込《こ》んだんだ」

コナンは探偵《たんてい》バッジに話《はな》しかけながら、海上部《かいじょうぶ》を走《はし》った。辺《あた》りを見回《みまわ》して、海《うみ》に出《で》られるものを探《さが》す。

「つまりその潜水艦《せんすいかん》は、水中《すいちゅう》から出入《ではい》りできるはずなんだ！」

キールは再《ふた》び、灰原《はいばら》たちがいる部屋《へや》の前《まえ》に来《き》ていた。ドアの前《まえ》に立《た》ち、部屋《へや》の様子《ようす》をうかがっている。

「拉致《らち》されたとき、私《わたし》は眠《ねむ》らされていたの。どこから潜水艦《せんすいかん》に乗《の》ったかなんて、覚《おぼ》えてない」

灰原《はいばら》の会話《かいわ》を聴《き》いたキールはそっとその場《ば》を離《はな》れて、艦《かん》の中央《ちゅうおう》にある発令所《はつれいしょ》に向《む》かった。

潜水艦《せんすいかん》の全《すべ》ての動《うご》きをコントロールする発令所《はつれいしょ》は、大《おお》きな柱《はしら》のように立《た》つ潜望鏡《せんぼうきょう》を中心《ちゅうしん》に、操舵装置《そうだそうち》や注排水管制御盤《ちゅうはいすいかんせいぎょばん》など様々《さまざま》なコンソールが並《なら》び、乗組員《のりくみいん》がそれぞれについていた。

キールは、乗組員《のりくみいん》の後《うし》ろでモニターを見《み》ているウォッカに歩《あゆ》み寄《よ》った。

「そういえば、ちょっと気《き》になったんだけど」

「ああ？」

「ジンはどこから乗《の》り込《こ》むの？　昨日《きのう》みたいに魚雷発射管《ぎょらいはっしゃかん》から？」

探偵《たんてい》バッジでコナンと交信《こうしん》していた灰原《はいばら》の耳《みみ》に、キールの声《こえ》が聞《き》こえてきた。彼女《かのじょ》のパーカーのフードに入《い》れた盗聴器《とうちょうき》からだ。

「魚雷発射管《ぎょらいはっしゃかん》……」

灰原《はいばら》がキールの言葉《ことば》を繰《く》り返《かえ》すと、探偵《たんてい》バッジから『えっ？』と驚《おどろ》くコナンの声《こえ》が聞《き》こえてきた。

「私《わたし》はそこから乗《の》ったみたい」

『……ダイバーが出入《でい》りできる魚雷発射管《ぎょらいはっしゃかん》。聞《き》いたことがある』

灰原《はいばら》の答《こた》えに、コナンは合点《がてん》がいったようだった。

潜水艦《せんすいかん》の発令所《はつれいしょ》で、ウォッカはキールに向《む》き直《なお》って答《こた》えた。

「兄貴《あにき》には艦橋《かんきょう》から安全《あんぜん》に乗《の》ってもらうさ。そのために浮上《ふじょう》してんだ。あそこから出入《でい》りするのはもう懲《こ》り懲《ご》りだ。肝《きも》が冷《ひ》えるぜ」

「あら、どうして？」

キールは再《ふたた》びたずねた。

「黄色《きいろ》のボタンを押《お》せば発射管《はっしゃかん》に入《はい》れるでしょ？　後《あと》は自動《じどう》で海水《かいすい》が流《なが》れ込《こ》み、扉《とびら》も自動《じどう》で開《ひら》く。簡単《かんたん》じゃない」

「バーカ」

ウォッカはあきれ気味《ぎみ》に言《い》った。

「普段《ふだん》は魚雷《ぎょらい》を発射《はっしゃ》してんだぞ。誰《だれ》かが間違《まちが》えてあのレバーを引《ひ》いたら……」

木《こ》っ端《ぱ》みじんに吹《ふ》っ飛《と》ぶとばかりに、すぼめた手《て》をパッと開《ひら》く。

「レバー？」

キールが首《くび》を傾《かし》げると、ウォッカは「なッ」と声《こえ》を裏返《うらがえ》した。

「そんなことも知《し》らねーで乗《の》ってたのかよ！　――来《こ》い！」

ウォッカは艦首側《かんしゅがわ》のハッチに向《む》かった。キールもパーカーのフードをチラリと見《み》やると、後《あと》をついていく。

ウォッカがキールを連《つ》れてきたのは、艦首《かんしゅ》にある魚雷発射管室《ぎょらいはっしゃかんしつ》だった。部屋《へや》の両側《りょうがわ》の魚《ぎょ》雷《らい》が載《の》せられた装填装置《そうてんそうち》の先《さき》には魚雷発射管《ぎょらいはっしゃかん》の扉《とびら》があり、その横《よこ》に緑色《みどりいろ》のレバーがついている。

魚雷発射管《ぎょらいはっしゃかん》の前《まえ》に来《き》たウォッカは、緑色《みどりいろ》のレバーを指差《ゆびさ》した。

「この緑《みどり》のレバーを引《ひ》くと、発射管内《はっしゃかんない》に圧縮空気《あっしゅくくうき》が撃《う》ち出《だ》される。もし、そのとき中《なか》に人《ひと》がいようもんなら……」

「命《いのち》を落《お》とす。忘《わす》れてたわ」

さらりと言《い》うキールを、ウォッカは怪訝《けげん》そうに見《み》た。

「大丈夫《だいじょうぶ》かよ、お前《まえ》」

警備艇《けいびてい》が係留《けいりゅう》されている船着《ふなつ》き場《ば》にコナンが下《お》りると、探偵《たんてい》バッジから灰原《はいばら》の声《こえ》が聞《き》こえてきた。

『脱出《だっしゅつ》の方法《ほうほう》がわかった！』

「本当《ほんとう》か⁉　よし！　お前《まえ》も直美《なおみ》さんもぜってー助《たす》けてやっからな！」

探偵《たんてい》バッジをポケットにしまったコナンは、警備艇《けいびてい》に近《ちか》づき、係留《けいりゅう》ロープを外《はず》した。

（あとはこれを動《うご》かせれば……）

柵《さく》を越《こ》えて船《ふね》に乗《の》ろうとすると、

「コナンくーん！」

蘭《らん》の声《こえ》がして、コナンは慌《あわ》てて柵《さく》から下《お》りた。海《うみ》の方《ほう》を見《み》ると、クルーザーが白波《しらなみ》を立《た》てて近《ちか》づいてくる。

「蘭《らん》⁉」

デッキに立《た》った蘭《らん》は、笑顔《えがお》で大《おお》きく手《て》を振《ふ》っていた。


ウォッカとキールがいる魚雷発射管室《ぎょらいはっしゃかんしつ》に、乗組員《のりくみいん》がやってきた。

「ヘリがまもなく到着《とうちゃく》します」

「よし、潜水艦《せんすいかん》の艦橋《かんきょう》を海《うみ》から出《だ》して開《あ》けろ」

ウォッカは乗組員《のりくみいん》に命令《めいれい》すると、ニヤリと笑《わら》った。

「ジンの兄貴《あにき》と合流《ごうりゅう》だ」

ベッドに腰《こし》かけていた灰原《はいばら》は、低《ひく》い天井《てんじょう》を見上《みあ》げた。

「来《く》る……」

ジンを乗《の》せたヘリコプターが近《ちか》づいている。

灰原《はいばら》は後《うし》ろで壁《かべ》に寄《よ》りかかっている直美《なおみ》に目《め》をやりながら、後《うし》ろ手《で》に縛《しば》られた手《て》をごそごそと動《うご》かした。

「脱出《だっしゅつ》するわよ」

「無理《むり》よ」

直美《なおみ》が拘束《こうそく》された手《て》を見《み》せようとすると、灰原《はいばら》は緩《ゆる》んだロープから手《て》を抜《ぬ》いた。

「え……!?」

「解《ほど》きやすいポーズで縛《しば》られていただけ。マジシャンがよく使《つか》う手《て》よ」

灰原《はいばら》は説明《せつめい》しながら、拘束《こうそく》された足《あし》のロープも解《ほど》いた。

「あなた、一体《いったい》……」

「時間《じかん》がない。行《い》くわよ」

手足《てあし》が自由《じゆう》になった灰原《はいばら》は、直美《なおみ》の手《て》を縛《しば》るロープを解《ほど》きにかかった。

「無茶《むちゃ》言《い》わないで！　絶対《ぜったい》に無理《むり》！」

「人種《じんしゅ》を越《こ》えた世界平和《せかいへいわ》。それがあなたとお父《とう》さんの夢《ゆめ》なんでしょ？」

灰原《はいばら》の言葉《ことば》に、直美《なおみ》は悲《かな》しげにうなだれた。

「その父《ちち》だってもう……」

「だったらもう、あなたにしか実現《じつげん》できない夢《ゆめ》ってこと！　あなたには生《い》きる義務《ぎむ》があるの！」

灰原《はいばら》が直美《なおみ》の顔《かお》を覗《のぞ》き込《こ》んで言《い》うと、直美《なおみ》は壁《かべ》の方《ほう》へ顔《かお》をそむけた。

「哀《あい》ちゃんやコナン君《くん》みたいな子供《こども》に、何《なに》ができるの？　何《なに》ができるっていうの!?」

「あら、そう」

灰原《はいばら》は直美《なおみ》から離《はな》れて、ベッドから下《お》りた。

「子供《こども》だから、何《なに》？　あなた、世代間《せだいかん》の差別《さべつ》もなくしたいんじゃなかったの？」

「………」

「子供《こども》の言葉《ことば》や行動《こうどう》で、人生《じんせい》が変《か》わることもある。私《わたし》はそれを体験《たいけん》して変《か》われた。だから、私《わたし》を信《しん》じて。——直美《なおみ》！」

メガネをかけ直《なお》した灰原《はいばら》は、直美《なおみ》にすっと手《て》を差《さ》し伸《の》べた。

コナン達《たち》を乗《の》せた丑尾《うしお》のクルーザーは、全速力《ぜんそくりょく》で海《うみ》を進《すす》んでいた。

二階《にかい》の操縦席《そうじゅうせき》で、蘭《らん》は丑尾《うしお》と何《なに》やら話《はな》し込《こ》んでいる。

「今《いま》のうちじゃ」

コナンとデッキにいた阿笠博士《あがさはかせ》は、端《はし》に並《なら》べておいた水中《すいちゅう》スクーターと海中《かいちゅう》ヘッドセットを持《も》ってきた。

「ああ」

ドライスーツに着替《きが》えたコナンは、かけていたメガネを阿笠博士《あがさはかせ》に渡《わた》し、水中《すいちゅう》ゴーグルをつけた。

「哀君《あいくん》を頼《たの》んだぞ、新一《しんいち》」

「ああ。行《い》ってくる！」

コナンは小型《こがた》エアタンクを口《くち》にくわえると、カメ型《がた》の水中《すいちゅう》スクーターを背負《せお》い、サメ型《がた》の水中《すいちゅう》スクーターを持《も》って海《うみ》へ飛《と》び込《こ》んだ。

ジンを乗《の》せたヘリコプターが、セイルを海面《かいめん》に突《つ》き出《だ》した潜水艦《せんすいかん》の上空《じょうくう》に到着《とうちゃく》した。セイルの真上《まうえ》でホバリングするヘリコプターのローターが、海面《かいめん》に無数《むすう》の波紋《はもん》を描《えが》く。

やがて、ワイヤーロープの先端《せんたん》の輪《わ》に足《あし》をかけたジンが、帽子《ぼうし》を手《て》で押《お》さえながら降《お》りてきた。ローターが巻《ま》き起《お》こす風《かぜ》の中《なか》で、銀色《ぎんいろ》の長《なが》い髪《かみ》が波打《なみう》つようになびき、黒《くろ》いコートの裾《すそ》がはためいている。

セイルの上《うえ》に降《お》り立《た》ったジンは、足元《あしもと》のハッチをくぐり、長《なが》い鉄梯子《てつばしご》を下《お》りていった。

ヘリコプターが上昇《じょうしょう》して離《はな》れていくと、潜水艦《せんすいかん》はゆっくりと前進《ぜんしん》しながら白《しろ》い水煙《すいえん》を上《あ》げて水中《すいちゅう》に潜《もぐ》っていった。

ウォッカとキールは艦橋《かんきょう》に続《つづ》く鉄梯子《てつばしご》のそばで、ジンが下《お》りてくるのを待《ま》っていた。やがて、カン、カン、カン……と鉄梯子《てつばしご》を下《お》りてくる音《おと》が聞《き》こえてくる。

「お待《ま》ちしてやした」

鉄梯子《てつばしご》を下《お》りてきたジンにウォッカが声《こえ》をかけると、ジンは口《くち》の端《はし》を持《も》ち上《あ》げて言《い》った。

「さぁ、お前《まえ》がシェリーだと言《い》うガキの面《つら》を拝《おが》ませてもらおうか」

ウォッカはさっそく灰原《はいばら》たちがいる部屋《へや》へ案内《あんない》した。ハッチをくぐり、狭《せま》い通路《つうろ》を進《すす》んでいく。部屋《へや》のドアを開《あ》けると、両側《りょうがわ》のベッドのカーテンが閉《と》じられていた。さらに灰原《はいばら》たちを縛《しば》ったロープが床《ゆか》に落《お》ちている。

「何《なに》ッ!?」

ウォッカとキールはカーテンを開《あ》けた。しかしベッドはもぬけの殻《から》だった。

「おい、ウォッカ。どういうことだ」

「これはッ、その……」

ジンに詰《つ》め寄《よ》られたそのとき、乗組員《のりくみいん》が通路《つうろ》を走《はし》ってきた。

「発射管室《はっしゃかんしつ》で誰《だれ》かがダイバー排出《はいしゅつ》の操作《そうさ》をしています!」

部屋《へや》をこっそり抜《ぬ》け出《だ》した灰原《はいばら》と直美《なおみ》は、魚雷発射管室《ぎょらいはっしゃかんしつ》に来《き》ていた。壁《かべ》にかかっていたエアタンクを直美《なおみ》が背負《せお》い、ダイビングマスクをすると、操作盤《そうさばん》の前《まえ》にいる灰原《はいばら》に向《む》かってうなずく。ダイビングマスクをつけた灰原《はいばら》は、黄色《きいろ》いボタンを押《お》した。

魚雷発射管扉《ぎょらいはっしゃかんとびら》が開《あ》いて、直美《なおみ》と灰原《はいばら》が中《なか》に入《はい》る。すると自動《じどう》で扉《とびら》が閉《し》まり、魚雷発射管《ぎょらいはっしゃかん》の注水弁《ちゅうすいべん》が開《ひら》いて上下《じょうげ》左右《さゆう》から海水《かいすい》が噴《ふ》き出《だ》した。

滝《たき》に打《う》たれるような強《つよ》い水圧《すいあつ》に、二人《ふたり》は抱《だ》き合《あ》って耐《た》えた。満水《まんすい》になって海側《うみがわ》の扉《とびら》が開《あ》くのを待《ま》つ――。

「くそっ！　アイツ等《ら》、いつの間《ま》に！」

ウォッカは通路《つうろ》を走《はし》った。鉄梯子《てつばしご》を上《のぼ》り、魚雷発射管室《ぎょらいはっしゃかんしつ》に通《つう》じる通路《つうろ》に出《で》る。

「こっちです！」

魚雷発射管室《ぎょらいはっしゃかんしつ》にいた乗組員《のりくみいん》は、右舷《うげん》の魚雷発射管《ぎょらいはっしゃかん》を指差《ゆびさ》した。

「おい！　出《で》てこい!!」

走《はし》ってきたウォッカは、魚雷発射管扉《ぎょらいはっしゃかんとびら》を叩《たた》いた。

「おい！　お前等《まえら》!!」

激《はげ》しく扉《とびら》を叩《たた》くウォッカの元《もと》に、ジンがゆっくりとやってくる。

「すでに海水《かいすい》が注入《ちゅうにゅう》され、開《ひら》きません！　残《のこ》り七十秒《ななじゅうびょう》で中《なか》の人間《にんげん》が海《うみ》へ出《で》ます！」

「それなら、二人《ふたり》とも殺《ころ》すまでだ」

ジンはニヤリと笑《え》みを浮《う》かべると魚雷発射管扉《ぎょらいはっしゃかんとびら》に歩《あゆ》み寄《よ》り、緑色《みどりいろ》のレバーに手《て》をかける。


（――ッ!?）

魚雷発射管《ぎょらいはっしゃかん》の中《なか》にいる灰原《はいばら》の背筋《せすじ》に、ぞわりと悪寒《おかん》が走《はし》った。

氷刃《ひょうじん》のような殺気《さっき》と、足元《あしもと》の扉《とびら》の向《む》こうに感《かん》じる圧倒的《あっとうてき》な存在感《そんざいかん》。

（……いる。すぐそばに……ッ!!）

冷《つめ》たい海水《かいすい》の中《なか》で、灰原《はいばら》の心臓《しんぞう》が強《つよ》く脈打《みゃくう》つ。灰原《はいばら》は震《ふる》える指《ゆび》で、直美《なおみ》の服《ふく》をギュッとつかんだ。

ジンがいるのだ。魚雷発射管扉《ぎょらいはっしゃかんとびら》の前《まえ》にジンがいる――。


「ダメよ、ジン！」

レバーを引《ひ》き始《はじ》めたジンの手《て》を、キールが止《と》めた。

「組織《そしき》は直美《なおみ》のシステムを必要《ひつよう》としてる！　生《い》きて捕《と》らえないと！」

「その組織《そしき》に歯向《はむ》かおうとする奴《やつ》は、誰《だれ》であろうと容赦《ようしゃ》しねぇ。その手《て》をどけろ」

ジンは鋭《するど》い視線《しせん》をキールに向《む》けた。キールはジンの手《て》を押《お》さえたまま、にらみ返《かえ》す。

「キール、てめぇ！」

ジンはキールを突《つ》き飛《と》ばし、銃口《じゅうこう》を向《む》けた。

「さっきからお前《まえ》の行動《こうどう》は尋常《じんじょう》じゃねぇ。まさか、ネズミじゃないだろうな」

「尋常《じんじょう》じゃないのはジン、あなたの方《ほう》よ」

言《い》い返《かえ》すキールの額《ひたい》に、ジンが銃口《じゅうこう》を突《つ》きつける。

「何《なに》？」

「あの少女《しょうじょ》がベルツリー急行《きゅうこう》で死《し》んだシェリーなら、なぜ生《い》きてるの？　なぜ少女《しょうじょ》になってるの？　そのワケを彼女《かのじょ》の口《くち》から聞《き》きたくないの⁉」

銃口《じゅうこう》を突《つ》き付《つ》けられながらも、キールは強気《つよき》でまくし立《た》てた。灰原達《はいばらたち》を逃《のが》してしまったウォッカも「あ、兄貴《あにき》！」と仲裁《ちゅうさい》に入《はい》る。

「確《たし》かに一理《いちり》ありやすぜ！　生《い》きて捕《と》らえて――」

魚雷発射管扉《ぎょらいはっしゃかんとびら》の向《む》こうから、ボコボコボコッ……と音《おと》がした。ウォッカがギクリとして振《ふ》り返《かえ》る。

「発射口《はっしゃこう》、開《ひら》きました！」

乗組員《のりくみいん》が声《こえ》を上《あ》げても、ジンはキールの額《ひたい》に銃口《じゅうこう》を突《つ》きつけたままだった。キールのこめかみを、一筋《ひとすじ》の冷《つめ》たい汗《あせ》が伝《つた》う。

発射口《はっしゃこう》が開《あ》いて、直美《なおみ》と灰原《はいばら》は暗《くら》い海《うみ》に出《で》た。

まだ陽《ひ》は落《お》ちていないはずなのに、海《うみ》の中《なか》は想像以上《そうぞういじょう》に暗《くら》くて、二人《ふたり》の胸《むね》に不安《ふあん》がよぎる。でも今《いま》は一刻《いっこく》も早《はや》く潜水艦《せんすいかん》から離《はな》れなければならない。

灰原《はいばら》は直美《なおみ》のレギュレーターから空気《くうき》を吸《す》い込《こ》むと、前《まえ》へ泳《およ》ぎ出《だ》した。すると、前方《ぜんぽう》から小《ちい》さな光《ひかり》が近《ちか》づいてきた。灰原《はいばら》は泳《およ》ぐのをやめて、直美《なおみ》の手《て》をつかむ。

どんどん近《ちか》づいてくる光《ひかり》を、二人《ふたり》はじっと見《み》つめていた。

それは水中《すいちゅう》スクーターのライトの光《ひかり》だった。水中《すいちゅう》スクーターのハンドルを握《にぎ》るコナンの姿《すがた》が見《み》えて、こわばっていた灰原《はいばら》の顔《かお》がホッと緩《ゆる》む。

コナンは本当《ほんとう》に助《たす》けに来《き》てくれたのだ。

「小《ちい》さなスクリュー音《おん》をキャッチしました！」

魚雷発射管室《ぎょらいはっしゃかんしつ》にやってきた別《べつ》の乗組員《のりくみいん》が叫《さけ》んだ。

「おそらく水中《すいちゅう》スクーターかと思《おも》われます！　十時方向《じゅうじほうこう》に五《ご》ノットで移動中《いどうちゅう》！」

キールの額《ひたい》に銃口《じゅうこう》を当《あ》てていたジンは、拳銃《けんじゅう》を下《お》ろすと出入《でい》り口《ぐち》の方《ほう》を向《む》いた。

「よし、そいつを追《お》え」

ウォッカ達《たち》と共《とも》に発令所《はつれいしょ》に向《む》かって歩《ある》いていき、一人残《ひとりのこ》されたキールはジンの後《うし》ろ姿《すがた》を見送《みおく》りながら、小《ちい》さく息《いき》をついた。

カメ型水中《がたすいちゅう》スクーターは、暗《くら》い海《うみ》の中《なか》を時速九《じそくきゅう》キロほどのスピードで進《すす》んでいた。そこにコナンたちの姿《すがた》はなかった。

無人《むじん》の水中《すいちゅう》スクーターは突然向《とつぜんむ》きを変《か》えて、どんどん進《すす》んだ。その後方《こうほう》を、巨大《きょだい》な潜水《せんすい》艦《かん》が追《お》うように移動《いどう》していく。

やや離《はな》れた岩場《いわば》の陰《かげ》に、コナンたちは身《み》を潜《ひそ》めていた。潜水艦《せんすいかん》がカメ型水中《がたすいちゅう》スクーターを追《お》うのを見届《みとど》けると、コナンはサメ型水中《がたすいちゅう》スクーターに灰原《はいばら》と直美《なおみ》をつかまらせて、浮《ふ》上《じょう》した。

夕陽《ゆうひ》が半分沈《はんぶんしず》んだ海《うみ》から最初《さいしょ》に顔《かお》を出《だ》したのは、コナンだった。続《つづ》けて、灰原《はいばら》と直美《なおみ》が顔《かお》を出《だ》す。コナンは肩《かた》で呼吸《こきゅう》しながら、ヘッドセットを外《はず》した。

「二人《ふたり》とも大丈夫《だいじょうぶ》？」

「ええ」

「ありがとう」

荒《あら》い呼吸《こきゅう》をしながらダイビングマスクを外《はず》した直美《なおみ》は、コナンを怪訝《けげん》そうに見《み》つめた。

「でも、あなた……一体何者《いったいなにもの》……？」

コナンはフッと微笑《ほほえ》んだ。

「江戸川《えどがわ》コナン――」

「探偵《たんてい》よ」

先回《さきまわ》りして答《こた》えた灰原《はいばら》が、フフンとコナンを見《み》る。

子供《こども》が探偵《たんてい》だなんてそんなバカな――一瞬信《いっしゅんしん》じられなかった直美《なおみ》の頭《あたま》に、灰原《はいばら》の言葉《ことば》が浮《う》かぶ。

〝子供《こども》の言葉《ことば》や行動《こうどう》で、人生《じんせい》が変《か》わることもある〟

確《たし》かにそのとおりだった。実際《じっさい》、彼《かれ》らに自分《じぶん》は助《たす》けられたのだ。

直美《なおみ》はフフフと笑《わら》った。

「……そっかぁ」

濡《ぬ》れた前髪《まえがみ》をかき上《あ》げて前《まえ》を向《む》くと、クルーザーがこっちに向《む》かっているのが見《み》えた。

デッキで誰《だれ》かが大《おお》きく手《て》を振《ふ》っている。

灰原《はいばら》たちがクルーザーのデッキに上《あ》がると、蘭《らん》が灰原《はいばら》の濡《ぬ》れた体《からだ》に毛布《もうふ》をかけてくるんだ。

「……ありがとう」

お礼《れい》を言《い》う灰原《はいばら》を、蘭《らん》は抱《だ》きしめた。その目《め》には涙《なみだ》が浮《う》かんでいる。

「よかった……哀《あい》ちゃんが無事《ぶじ》で、本当《ほんとう》によかった。もう大丈夫《だいじょうぶ》だからね」

「………」

灰原《はいばら》は、泣《な》きながら抱《だ》きしめる蘭《らん》の背中《せなか》をギュッとつかんだ。本気《ほんき》で自分《じぶん》を心配《しんぱい》して、泣《な》いてくれる蘭《らん》に、姉《あね》の明美《あけみ》の面影《おもかげ》を重《かさ》ねる。

(お姉《ねえ》ちゃん……)

灰原《はいばら》は蘭《らん》の腕《うで》の中《なか》でゆっくり目《め》を閉《と》じた。

組織《そしき》に正体《しょうたい》がバレてしまった以上《いじょう》、もう蘭《らん》たちのそばにはいられない。

姉《あね》と同《おな》じように、もう会《あ》えなくなってしまう――。

浮上停止《ふじょうていし》している潜水艦《せんすいかん》の下《した》を、二人《ふたり》のダイバーが潜《もぐ》っていった。岩《いわ》が複雑《ふくざつ》に入《い》り組《く》んだ起伏《きふく》の多《おお》い海底《かいてい》へ向《む》かっている。

ジン達《たち》から遅《おく》れて発令所《はつれいしょ》に入《はい》ったキールは、ソナー専用卓《せんようたく》についた水測員《すいそくいん》の後《うし》ろに立《た》っていた。

「水中《すいちゅう》スクーターを見《み》つけた!?」

「はい。充電《じゅうでん》切《ぎ》れで停止《ていし》したようです。回収《かいしゅう》させますか?」

「いいえ。必要《ひつよう》ないわ」

キールが告《つ》げると、そばにいたジンが「やはり囮《おとり》だったか」と冷静《れいせい》な口調《くちょう》で言《い》った。

ヘッドホンを着《つ》けた別《べつ》の水測員《すいそくいん》が、ジンたちを振《ふ》り返《かえ》る。

「漁船《ぎょせん》のスクリュー音《おん》もキャッチしています。追《お》いますか?」

「待《ま》て。行《い》き先《さき》はわかってる」

指示《しじ》するジンの元《もと》に、ウォッカが「兄貴《あにき》!」とタブレットを持《も》ってきた。

「これを見《み》てください!」

ウォッカが渡《わた》したタブレットには、『老若認証《ろうにゃくにんしょう》』の検索結果《けんさくけっか》が表示《ひょうじ》されていた。

――昼間《ひるま》の渋谷《しぶや》のスクランブル交差点《こうさてん》を歩《ある》く女子高生《じょしこうせい》。

――海外《かいがい》の大通《おおどお》りをボルゾイを連《つ》れて散歩《さんぽ》している老婦人《ろうふじん》。

――沖縄《おきなわ》の国際通《こくさいどお》りで電話《でんわ》をしている若《わか》い女性《じょせい》。

いずれの女性《じょせい》もシェリーによく似《に》ていて、クローズアップした画像《がぞう》の下《した》には『老若認証《ろうにゃくにんしょう》一致《いっち》』の文字《もじ》がある。

「これはどういうことだ？」

「ベルモットから送《おく》られてきました」

ウォッカはベルモットと繋《つな》がっているスマホをスピーカーにして、ジンに向《む》けた。

その頃《ころ》、ベルモットは羽田空港《はねだくうこう》の国際線《こくさいせん》ターミナルにいた。いくつもの大《おお》きなスーツケースをカートに載《の》せて、スマホを片手《かたて》に到着《とうちゃく》ロビーを歩《ある》いている。

「直美《なおみ》が持《も》っていたシェリーの一致《いっち》画像《がぞう》はテストってファイル名《めい》だったから、念《ねん》のためにもう一度《いちど》シェリーの顔《かお》を『老若認証《ろうにゃくにんしょう》』で検索《けんさく》してみたの。そしたらなんとこの有様《ありさま》。どうやらよく似《に》た人間《にんげん》を同一人物《どういつじんぶつ》と判断《はんだん》しちゃう欠陥《けっかん》システムみたいね」

スマホから聞《き》こえてくるベルモットの言葉《ことば》に、ジンの顔《かお》がみるみる険《けわ》しくなった。そばにある潜望鏡《せんぼうきょう》の柱《はしら》を思《おも》い切《き》り殴《なぐ》りつける。

「何《なに》が老若認証《ろうにゃくにんしょう》だ！　とんだクソシステムじゃねぇか！」

吐《は》き捨《す》てるように叫《さけ》ぶと、ジンは発令所《はつれいしょ》を出《で》て行《い》った。

夕陽《ゆうひ》の名残《なごり》が空《そら》と海《うみ》をオレンジ色《いろ》に染《そ》めた都内《とない》の埠頭《ふとう》に、ＲＸ《アールエックス》－７《セブン》が停《と》まっていた。

薄暗《うすぐら》い車内《しゃない》で、バーボンはスマホの画面《がめん》を見《み》ていた。それはベルモットから送《おく》られてきた老若認証《ろうにゃくにんしょう》の検索結果《けんさくけっか》だった。シェリーに似《に》た様々《さまざま》な年齢《ねんれい》の女性《じょせい》の画像《がぞう》と『老若認証一致《ろうにゃくにんしょういっち》』の文字《もじ》がある。

バーボンがクローズアップした画像《がぞう》を訝《いぶか》しげに見《み》ていると、右耳《みぎみみ》にかけたイヤホンマイクから電話《でんわ》の呼《よ》び出《だ》し音《おん》がした。バーボンはイヤホンマイクのボタンを押《お》した。

『あの方《かた》の計画《けいかく》どおり、万《まん》が一《いち》のときの最終手段《さいしゅうしゅだん》を使《つか》うときが来《き》たようですね』

変声機《へんせいき》を使《つか》ったラムの声《こえ》が聞《き》こえてきた。

「……老若認証《ろうにゃくにんしょう》は諦《あきら》めるんですか？」

『どうやら使《つか》い物《もの》にならないシステムのようですから』

バーボンは持《も》っていたスマホの画面《がめん》をチラリと見《み》た。

「わかりました」

ラムを後部座席《こうぶざせき》に乗《の》せたベントレーは、都内《とない》の高速道路《こうそくどうろ》を走《はし》っていた。

通話《つうわ》を切《き》ったラムは、小《ちい》さく息《いき》をついた。車《くるま》がトンネルに入《はい》り、車内《しゃない》が急《きゅう》に暗《くら》くなる。

（老若認証《ろうにゃくにんしょう》……突《つ》き止《と》めるのに使《つか》えると思《おも》ったんだがな……）

ラムは車窓《しゃそう》に流《なが》れるトンネルの光《ひかり》の粒《つぶ》を眺《なが》めながら、〈あの方《かた》〉の姿《すがた》を思《おも》い浮《う》かべた。

（最近《さいきん》、姿《すがた》を見《み》せないあの方《かた》の所在《しょざい》を……）

思《おも》い浮《う》かべた〈あの方《かた》〉はやがてにじんだ水彩画《すいさいが》のように輪郭《りんかく》がぼやけて、光《ひかり》の中《なか》に溶《と》けて消《き》えていった。


ジンが発令所《はつれいしょ》から出《で》て行《い》ったあと、ウォッカは艦内《かんない》を探《さが》した。

「兄貴《あにき》！　ここにいたんですかい」

前部昇降口《ぜんぶしょうこうぐち》の鉄梯子《てつばしご》を上《あ》がると、ジンは上甲板《じょうかんぱん》で煙草《たばこ》をふかしていた。

「なんだ」

「万《まん》が一《いち》のための最後《さいご》の手《て》を、使《つか》ってくれとのことですぜ」

「ああ……わかった」

ジンはニヤリと笑《え》みを浮《う》かべた。見開《みひら》いた目《め》に冷酷《れいこく》な光《ひかり》が宿《やど》る。

「クソシステムもろとも沈《しず》めてやるよ。黒鉄色《くろがねいろ》の海底《うみぞこ》にな」

コナン達《たち》を乗《の》せた丑尾《うしお》のクルーザーは、パシフィック・ブイに向《む》かっていた。

灰原《はいばら》とコナンは船尾《せんび》デッキの台《だい》に並《なら》んで座《すわ》った。

「やっぱりか……」

灰原《はいばら》から事情《じじょう》を聞《き》いたコナンがつぶやくと、灰原《はいばら》はくるまっている毛布《もうふ》に顔《かお》をうずめた。

「ええ、バレてるわ。このまま行方《ゆくえ》をくらますしかないわね」

コナンは少《すこ》し考《かんが》えてから立《た》ち上《あ》がった。

「まだこっちには切《き》り札《ふだ》がある」

「……何《なに》？」

コナンは手《て》すりに手《て》をかけて、夕陽《ゆうひ》に染《そ》められた海《うみ》を眺《なが》めた。パシフィック・ブイの海《かい》上部《じょうぶ》が遠《とお》くに見《み》える。

「ピンガだ。パシフィック・ブイにいるのは間違《まちが》いない。奴《やつ》に取《と》り引《ひ》きを持《も》ちかける」

「誰《だれ》かわかったの？」

隣《となり》に並《なら》んだ灰原《はいばら》がたずねると、コナンは「いや」と目線《めせん》を落《お》とした。

「もうちょっとなんだけど……」

コナンの険《けわ》しい横顔《よこがお》を、灰原《はいばら》は不安《ふあん》げに見《み》つめた。

9

コナンたちがパシフィック・ブイに着《つ》いた頃《ころ》には完全《かんぜん》に陽《ひ》が落《お》ちて、船着《ふなつ》き場《ば》は明《あ》かりが灯《とも》っていた。

船着《ふなつ》き場《ば》では、小五郎《こごろう》、黒田《くろだ》、佐藤《さとう》が待《ま》っていた。

「それにしても、まさかこのボウズの言《い》うとおり、ホントに潜水艦《せんすいかん》がいたなんて……」

エントランスに向《む》かう途中《とちゅう》で、小五郎《こごろう》がまだ信《しん》じられないといった表情《ひょうじょう》でつぶやくと、

「海上自衛隊《かいじょうじえいたい》の出動《しゅつどう》を政府《せいふ》に要請《ようせい》した」

黒田《くろだ》がコナンたちに告《つ》げた。

「さぁ、医務室《いむしつ》に向《む》かいましょう」

佐藤《さとう》は毛布《もうふ》にくるまった直美《なおみ》と灰原《はいばら》、コナンを医務室《いむしつ》へ連《つ》れていった。

医務室《いむしつ》には四台《よんだい》のベッドが置《お》かれていて、コナンと灰原《はいばら》は一番奥《いちばんおく》のベッドに並《なら》んで腰《こし》かけた。

「寒《さむ》かったでしょう。着替《きが》えと温《あたた》まるものを用意《ようい》するわね」

「あ、手伝《てつだ》います」

佐藤《さとう》と直美《なおみ》が揃《そろ》って医務室《いむしつ》を出《で》て行《い》く。ドアが閉《と》じたのを確認《かくにん》してから、コナンは灰原《はいばら》に話《はな》しかけた。

「さらわれたときの状況《じょうきょう》は覚《おぼ》えてるか？」

「ええ。エーテルで眠《ねむ》らされたわ」

灰原《はいばら》はそう言《い》うと、かけていたメガネを外《はず》して太《ふと》ももの上《うえ》に置《お》いた。そして両手《りょうて》で目《め》をごしごしと擦《こす》る。

「エーテル？」

「それをベースにピンガが作《つく》った麻酔薬《ますいやく》だと思《おも》う」

灰原《はいばら》の言葉《ことば》を聞《き》いて、コナンはレオンハルトの口元《くちもと》からしたニオイを思《おも》い出《だ》した。

「シンナーみたいなニオイするか？」

「ああ……まぁ、似《に》てるわね」

レオンハルトの口元《くちもと》からしたニオイはエーテルだと、コナンは確信《かくしん》した。

(だとすると、レオンハルトさんは死亡《しぼう》する前《まえ》に眠《ねむ》らされていた……)

「他《ほか》には何《なに》か聞《き》いてないか？」

コナンにきかれて、灰原《はいばら》はメガネを掛《か》けて天井《てんじょう》を仰《あお》いだ。

〝ピンガの奴《やつ》、計画《けいかく》にない行動《こうどう》しやがって……〟

直美《なおみ》がどこかへ連《つ》れていかれたときに、ウォッカがぼやいた言葉《ことば》を思《おも》い出《だ》す。

「なんか……計画《けいかく》にない行動《こうどう》について怒《おこ》ってた」

「計画《けいかく》にない行動《こうどう》？」

コナンは顎《あご》に手《て》を当《あ》てて考《かん》えた。

ピンガが犯《おか》した計画《けいかく》にない『行動《こうどう》』——思案《しあん》を巡《めぐ》らせたコナンの頭《あたま》に、二文字《ふたもじ》の言葉《ことば》が浮《う》かぶ。

「計画《けいかく》にない……『殺人《さつじん》』……？」

そのとき、医務室《いむしつ》のドアが開《ひら》いた。紙《かみ》コップを持《も》った佐藤《さとう》と直美《なおみ》が入《はい》ってくる。

「お待《ま》たせ。はい、どうぞ」

佐藤《さとう》は温《あたた》かい紅茶《こうちゃ》が入《はい》った紙《かみ》コップを灰原《はいばら》に差《さ》し出《だ》した。

「ありがとう」

「着替《きが》え、ここに置《お》くわね」

灰原《はいばら》の着替《きが》えをベッドに置《お》く佐藤《さとう》のそばで、コナンは紙《かみ》コップのフタを外《はず》して熱《あつ》い紅茶《こうちゃ》に息《いき》を吹《ふ》きかけた。

「おいしい」

コナンの前《まえ》に置《お》いた丸椅子《まるいす》に座《すわ》った直美《なおみ》は、両手《りょうて》で持《も》った紙《かみ》コップに口《くち》をつけて紅茶《こうちゃ》を飲《の》んだ。そして、紙《かみ》コップの縁《ふち》を親指《おやゆび》でそっと拭《ぬぐ》う。

その一連《いちれん》の動作《どうさ》を、コナンは何《なに》げなく見《み》ていた。

その瞬間《しゅんかん》、コナンの頭《あたま》の中《なか》で無関係《むかんけい》にバラバラに散《ち》らばっていたものが、一本《いっぽん》の筋《すじ》で繋《つな》がる——。

「……そうか。そういうことか……！」

全《すべ》ての謎《なぞ》が解《と》けたコナンは、ニヤリと笑《え》みを浮《う》かべた。

「灰原《はいばら》。ここで待《ま》ってろ！」

持《も》っていた紙《かみ》コップを丸椅子《まるいす》にタンッと置《お》いて、ベッドに立《た》てかけたスケボーを脇《わき》に抱《かか》えて駆《か》け出《だ》す。

「ぜってェなんとかしてやっからよ!!」

「ちょっとコナン君《くん》!?」

佐藤《さとう》の声《こえ》かけを無視《むし》して、コナンは医務室《いむしつ》から走《はし》り出《で》て行《い》った。

（……ったく）

コナンの後《うし》ろ姿《すがた》を見送《みおく》った灰原《はいばら》は、静《しず》かに微笑《ほほえ》んだ。

（待《ま》たせるの好《す》きよねぇ……新一君《しんいちくん》）

メインルームには、医務室《いむしつ》にいる佐藤達《さとうたち》を除《のぞ》いた一同《いちどう》が集《あつ》まっていた。

巨大《きょだい》モニターのそばで、黒田《くろだ》と白鳥《しらとり》はプリントアウトした紙《かみ》を牧野《まきの》に見《み》せた。

「これは？」

「レオンハルトさんの血液検査結果《けつえきけんさけっか》です」

黒田《くろだ》が言《い》うと、牧野《まきの》はピクリと眉《まゆ》を上《あ》げた。

「……それで？」

「強《きょう》アルカリ系《けい》の毒物《どくぶつ》が検出《けんしゅつ》されています」

「多分《たぶん》、洗剤《せんざい》か何《なに》かだろうと言《い》っていた」

短《みじか》い階段《かいだん》を上《あ》がったところにある牧野《まきの》のデスクの前《まえ》で、小五郎《こごろう》と蘭《らん》は並《なら》んで立《た》っていた。

小五郎《こごろう》は真面目《まじめ》な顔《かお》をして黒田達《くろだたち》の話《はなし》を聞《き》いている。

「だから口《くち》がただれてたんだな。やはり……ふにゃあぁッ！」

二人《ふたり》の背後《はいご》にある階段《かいだん》から駆《か》け下《お》りてきたコナンが、腕時計型麻酔銃《うでどけいがたますいじゅう》を撃《う》った。

麻酔針《ますいばり》が首《くび》に命中《めいちゅう》した小五郎《こごろう》は、倒《たお》れるように階段《かいだん》を後《うし》ろ向《む》きに下《お》りて、床《ゆか》でぐるりと一回転《いっかいてん》した。回転《かいてん》した勢《いきお》いで立《た》ち上《あ》がった小五郎《こごろう》は後《うし》ろにたたらを踏《ふ》み、倒《たお》れそうになったところに、近《ちか》くにいた阿笠博士《あがさはかせ》がすばやく椅子《いす》を差《さ》し向《む》ける。

ドスンと勢《いきお》いよく椅子《いす》に腰《こし》を下《お》ろした小五郎《こごろう》は、開《ひら》いた膝《ひざ》の上《うえ》に肘《ひじ》をついて深《ふか》くうつむいた。まるで眠《ねむ》っているようないつものポーズに、

「なにぃッ⁉」

「こ、これは、眠《ねむ》りの小五郎《こごろう》‼」

目暮《めぐれ》とエドが目《め》を丸《まる》くする。

コナンはすばやく牧野《まきの》のデスクに隠《かく》れて、蝶《ちょう》ネクタイ型変声機《がたへんせいき》を口《くち》に当《あ》てた。

「えー、皆《みな》さん。やはり直美《なおみ》さんの拉致《らち》を手引《てび》きし、哀君《あいくん》をさらい、レオンハルトさんを殺害《さつがい》した犯人《はんにん》がこの中《なか》にいます」

コナンが小五郎《こごろう》の声《こえ》で言《い》うと、一同《いちどう》は騒然《そうぜん》となった。牧野《まきの》が眉《まゆ》をひそめる。

「彼《かれ》は自殺《じさつ》では……？」

「いえ。麻酔薬《ますいやく》で眠《ねむ》らされた後《あと》、毒物《どくぶつ》で殺害《さつがい》されたのです」

「なんでそんな回《まわ》りくどい方法《ほうほう》を……」

医務室《いむしつ》からやってきた佐藤《さとう》が階段《かいだん》を下《お》りて、首《くび》を傾《かし》げる目暮《めぐれ》の背後《はいご》に立《た》った。警察一同《けいさついちどう》はもちろん、グレースやエドを含《ふく》めたメインルームにいる職員全員《しょくいんぜんいん》が、小五郎《こごろう》に注目《ちゅうもく》している。

「今回《こんかい》の殺害《さつがい》は計画的《けいかくてき》ではなく、突発的犯行《とっぱつてきはんこう》だったからです。だから、哀君《あいくん》を拉致《らち》したときに使《つか》ったのと同《おな》じ麻酔薬《ますいやく》を使《つか》うしかなかった」

そこまで言《い》うと、コナンは牧野《まきの》のデスクからひょいと姿《すがた》を現《あらわ》した。

「エーテルのニオイのする薬《くすり》だよね」

と言《い》ってすぐに引《ひ》っ込《こ》み、再《ふたた》び蝶《ちょう》ネクタイ型変声機《がたへんせいき》を口《くち》に当《あ》てる。

「ああ。そのニオイをごまかすために、遺体《いたい》をコーヒーまみれにしたんです」

「……しかし、あの映像《えいぞう》は？」

白鳥《しらとり》が一歩前《いっぽまえ》に出《で》て、たずねた。カフェの監視《かんし》カメラ映像《えいぞう》では、レオンハルトが自《みずか》ら毒薬《どくやく》らしきものを口《くち》にしてコーヒーを飲《の》み、苦《くる》しみ出《だ》して倒《たお》れたのだ。

「自殺《じさつ》に偽装《ぎそう》するための『ディープフェイク』です」

「ええっ⁉」「あれが⁉」

一同《いちどう》が驚《おどろ》く中《なか》で、蘭《らん》だけがきょとんとする。

「ディープフェイク？」

「簡単《かんたん》に言《い》うと、ニセ動画《どうが》のことよ」

佐藤《さとう》が教《おし》えると、蘭《らん》は「えっ、ウソ!?」と目《め》を丸《まる》くして小五郎《こごろう》の方《ほう》を向《む》いた。

レオンハルトの自殺映像《じさつえいぞう》がディープフェイクだと聞《き》いて、黒田《くろだ》はすぐに合点《がてん》がいったようだった。

「なるほど。だからカフェなのか」

「ええ。個室《こしつ》には監視《かんし》カメラがありませんから、定例《ていれい》となっているカフェの清掃時間《せいそうじかん》を利用《りよう》したんです」

「だが実際《じっさい》には清掃《せいそう》は行《おこな》われていない、ということか」

黒田《くろだ》の言葉《ことば》に、コナンは小五郎《こごろう》の声《こえ》で「はい」と答《こた》えた。

「キャンセルの連絡《れんらく》を入《い》れているはずです。そして犯人《はんにん》はその後《ご》、直美《なおみ》さん拉致《らち》と同様《どうよう》に清掃《せいそう》カートに眠《ねむ》らせたレオンハルトさんを入《い》れて清掃員《せいそういん》の姿《すがた》でカフェに行《い》き、清掃中《せいそうちゅう》のプレートを入《い》り口前《ぐちまえ》に置《お》いて誰《だれ》も入《はい》れないようにした。もちろん監視《かんし》カメラはループ映像《えいぞう》にしてね。そこで犯人《はんにん》はレオンハルトさんに毒薬《どくやく》を飲《の》ませて殺害《さつがい》。おそらく犯人《はんにん》は、レオンハルトさんが息絶《いきた》えるまでその場《ば》にいたはずです。死《し》にざまを観察《かんさつ》するためにね」

「ひどい……」

蘭《らん》は思《おも》わず口元《くちもと》を押《お》さえた。その場《ば》にいる一同全員《いちどうぜんいん》が、険《けわ》しい顔《かお》をして小五郎《こごろう》の推理《すいり》を聞《き》いている。

「先《さき》に映像《えいぞう》を作《つく》ってしまうと、どんな死《し》に方《かた》をされるかわからないですからね。その後《ご》、犯人《はんにん》はレオンハルトさんに似《に》た服《ふく》に着替《きが》え、毒薬《どくやく》に苦《くる》しむ芝居《しばい》をしたんです。テーブルに隠《かく》れるように倒《たお》れたのは、実際《じっさい》のカフェにある監視《かんし》カメラの映像《えいぞう》とリアルタイムで切《き》り替《か》えるときに、齟齬《そご》が生《しょう》じないようにするためです」

「似《に》た服《ふく》っていうのは……？」

白鳥《しらとり》がたずねる。

「ああ、何《なに》しろこの映像《えいぞう》は、顔《かお》だけがＣＧ《シージー》で体《からだ》は犯人《はんにん》ですから」

「なんだって!?」

目暮《めぐれ》をはじめ一同《いちどう》が騒然《そうぜん》となった。そして、誰《だれ》もが巨大《きょだい》モニターに映《うつ》されたレオンハルトの映像《えいぞう》を注視《ちゅうし》する。

「体《からだ》までＣＧ《シージー》で作《つく》るには時間《じかん》が足《た》りなかったんでしょう」

「しかし、どうやってそんなことを……」

映像《えいぞう》を見《み》ながら、白鳥《しらとり》は信《しん》じられないといった顔《かお》でつぶやいた。

「直美《なおみ》さんが開発《かいはつ》した『老若認証《ろうにゃくにんしょう》』の技術《ぎじゅつ》を使《つか》ったんです」

コナンが小五郎《こごろう》の声《こえ》で答《こた》えると、巨大《きょだい》モニターを見《み》ていた黒田《くろだ》は小五郎《こごろう》の方《ほう》に顔《かお》を向《む》けた。

「CG《シージー》で顔《かお》を作《つく》る技術《ぎじゅつ》か。職員《しょくいん》のデータなら事前《じぜん》に取《と》っていた可能性《かのうせい》も高《たか》いな」

「しかし毛利君《もうりくん》」

目暮《めぐれ》が一歩前《いっぽまえ》に出《で》た。

「ワシには本物《ほんもの》にしか見《み》えん。これがニセ動画《どうが》だっていう根拠《こんきょ》は……」

「私《わたし》が初《はじ》めにこの映像《えいぞう》を見《み》たとき、強《つよ》い違和感《いわかん》を覚《おぼ》えました」

「違和感《いわかん》？」

「彼《かれ》の手元《てもと》をよく見《み》てください」

一同《いちどう》は巨大《きょだい》モニターを見上《みあ》げた。

映像《えいぞう》の中《なか》で、レオンハルトはコーヒーの紙《かみ》コップを持《も》ってカフェ内《ない》を歩《ある》いた。ふと立《た》ち止《ど》まり、毒薬《どくやく》らしきものを口《くち》に含《ふく》むと続《つづ》けてコーヒーを飲《の》む。そして紙《かみ》コップの縁《ふち》を親指《おやゆび》で拭《ぬぐ》う――。

「あっ！」

最初《さいしょ》に声《こえ》を上《あ》げたのは、蘭《らん》だった。

「あれって……」

そばにいた佐藤《さとう》がつぶやき、二人《ふたり》は顔《かお》を見合《みあ》わせてうなずいた。

「口紅《くちべに》をしている女性特有《じょせいとくゆう》のしぐさ。お母《かあ》さんもよくやってた」

「そうなんです。このコップの縁《ふち》を拭《ふ》くしぐさ。あなたはここでよくそうしてましたよね
……グレースさん！」

うつむいて目《め》を伏《ふ》せていたグレースは、名前《なまえ》を呼《よ》ばれて、メガネの奥《おく》で目《め》を開《ひら》いた。

コナンは、グレースがコーヒーを飲《の》んだときに紙《かみ》コップの縁《ふち》を親指《おやゆび》で拭《ぬぐ》っていたのを思《おも》い出《だ》していた。

「きっとそのしぐさが癖《くせ》になっていたんでしょう。女性《じょせい》であろうとするあまりに……」

「女性《じょせい》であろうとした？」

白鳥《しらとり》はその言葉《ことば》に引《ひ》っかかった。

「ええ。私《わたし》の勘《かん》が正《ただ》しければ、この人《ひと》はおそらく女性《じょせい》ではないと思《おも》いますよ」

「!!」

その場《ば》にいた一同《いちどう》が驚愕《きょうがく》して、グレースに視線《しせん》を向《む》けた。パンツスーツ姿《すがた》にスカーフを首元《くびもと》に巻《ま》いたグレースは、不満顔《ふまんがお》で腰《こし》に手《て》を当《あ》てている。

「反論《はんろん》しないということは、やはりあなたは……」

「驚《おどろ》いて声《こえ》が出《で》ないのよ！」

グレースは髪《かみ》をかき上《あ》げながら言《い》った。

「女《おんな》じゃないなんて言《い》われると思《おも》ってなかっ――」

「コナンから聞《き》いたんだが、蘭《らん》」

コナンは小五郎《こごろう》の声《こえ》でグレースの言葉《ことば》を遮《さえぎ》った。

「哀君《あいくん》を拉致《らち》した二人組《ふたりぐみ》の一人《ひとり》は、お前《まえ》の蹴《け》りで首《くび》を負傷《ふしょう》してるとか」

「……あ、うん」

蘭《らん》は駐車場《ちゅうしゃじょう》で犯人《はんにん》の一人《ひとり》に回《まわ》し蹴《げ》りを放《はな》ったことを思《おも》い出《だ》した。首《くび》にヒットして、犯人《はんにん》は車《くるま》の屋根《やね》に吹《ふ》っ飛《と》んだ――。

「何《なに》を……ッ！」

突然《とつぜん》、グレースが声《こえ》を上《あ》げて、蘭《らん》は顔《かお》を上《あ》げた。黒田《くろだ》がグレースの首《くび》に巻《ま》いたスカーフを剥《は》ぎ取《と》ったのだ。

「そのアザ……!!」

スカーフを取《と》られてあらわになったグレースの首《くび》には、青《あお》いアザがあった。

「て、てか、喉仏《のどぼとけ》がある、まじかよ!!」

エドに指《さ》されたグレースは、ごくりと喉仏《のどぼとけ》を動《うご》かした。フッフッフ……と小《ちい》さな笑《わら》い声《ごえ》を上《あ》げながら、メガネを外《はず》して投《な》げ捨《す》て、カツラをつかみ取《と》る。

カツラの下《した》から現《あらわ》れたのは、コーンロウに編《あ》み上《あ》げられた髪《かみ》だった。

コーンロウの男《おとこ》——ピンガは堂々《どうどう》とした態度《たいど》でその顔《かお》をさらけ出《だ》した。

「誰《だれ》だ」「何者《なにもの》だ」と周囲《しゅうい》がざわつく。コナンはデスクの陰《かげ》からピンガをじっと見《み》つめた。

目暮《めぐれ》がピンガに一歩《いっぽ》近《ちか》づく。

「コーンロウの男《おとこ》……フランクフルトの施設《しせつ》に侵入《しんにゅう》したのもお前《まえ》か？」

「ああ」

「そのとき、ユーロポールの職員《しょくいん》に見《み》つかったワケか……」

背後《はいご》に迫《せま》った黒田《くろだ》に言《い》われて、ピンガは体《からだ》の向《む》きを変《か》えながら右耳《みぎみみ》につけたピアスを左《ひだり》耳《みみ》につけ替《か》えた。

「帰《かえ》ったはずだったんだが、間《ま》の悪《わる》い女《おんな》だよな」

「レオンハルトさんを殺害《さつがい》した動機《どうき》は？」

黒田《くろだ》がたずねると、ピンガはゆらりと振《ふ》り返《かえ》った。

「……予定外《よていがい》の拉致《らち》のせいでな。防犯《ぼうはん》カメラ映像《えいぞう》を改《かい》ざんする必要《ひつよう》が出《で》てきた。仮《かり》で処理《しょり》した後《あと》、完全《かんぜん》に痕跡《こんせき》を消《け》そうとしたんだが、あのガキが追究《ついきゅう》したおかげで、レオンハルトが痕跡《こんせき》に勘《かん》づきやがったんだ。だが、改《かい》ざんした記録《きろく》は消《け》した。俺《おれ》がやった証拠《しょうこ》はない。あとはレオンハルトさえ消《け》せば万事《ばんじ》うまくいくはずだったんだがな」

牧野《まきの》のデスクに隠《かく》れていたコナンは、悔《くや》しげに話《はな》すピンガの右手《みぎて》の袖《そで》からスマホが出《で》てくるのを見《み》た。ピンガは腕《うで》を下《さ》げたまま、袖《そで》の下《した》でスマホの画面《がめん》をすばやくタタタとタップする。

次《つぎ》の瞬間《しゅんかん》、ピンガは走《はし》り出《だ》した。短《みじか》い階段《かいだん》を駆《か》け上《あ》がり、最上部《さいじょうぶ》にある出入《でい》り口《ぐち》へ向《む》かう。

「逃《のが》すな！」

黒田《くろだ》が叫《さけ》ぶと同時《どうじ》に、佐藤《さとう》、白鳥《しらとり》、目暮《めぐれ》が走《はし》り出《だ》した。

短《みじか》い階段《かいだん》を駆《か》け上《のぼ》ったピンガは、そばにいた職員達《しょくいんたち》を突《つ》き飛《と》ばし、デスクに飛《と》び乗《の》った。

さらにジャンプして、出入《でい》り口《ぐち》へ続《つづ》く鉄骨階段《てっこつかいだん》の手《て》すりに飛《と》び乗《の》る。踊《おど》り場《ば》を回《まわ》り込《こ》んでさらに階段《かいだん》を上《あ》がると、先回《さきまわ》りした蘭《らん》が拳《こぶし》を握《にぎ》って飛《と》びかかってきた——！

「ハアァァ——!!」

ピンガはとっさに側転《そくてん》でかわした。

「またお前《まえ》か！」

踊《おど》り場《ば》に着地《ちゃくち》した蘭《らん》はすぐに立《た》ち上《あ》がり、手《て》すりを飛《と》び越《こ》えてピンガを追《お》う。

「おらっ！」

ピンガが持《も》っていたカツラを投《な》げつけた。手《て》すりを飛《と》び越《こ》えた蘭《らん》はカツラをよけ、ダッシュした。その瞬間《しゅんかん》、

「!?」

ナイフが飛《と》んできた。ギリギリでかわした蘭《らん》に、ピンガが側転蹴《そくてんげ》りを繰《く》り出《だ》す。腕《うで》で防《ふせ》いだ蘭《らん》の体《からだ》が後《うし》ろに吹《ふ》き飛《と》び、手《て》すりを越《こ》えて落《お》ちていく——！

「きゃあああー！」

コナンは全力《ぜんりょく》で駆《か》け出《だ》した。だが間《ま》に合《あ》わない……!!

コナンや阿笠博士《あがさはかせ》より早《はや》く落下地点《らっかちてん》にたどり着《つ》いたのは、黒田《くろだ》だった。腕《うで》を差《さ》し出《だ》して、

蘭《らん》を抱《だ》き止《と》める。

「大丈夫《だいじょうぶ》か？」

「あ、はい……」

黒田《くろだ》は抱《だ》きかかえていた蘭《らん》をゆっくりと床《ゆか》に下《お》ろした。

「右《みぎ》の正拳《せいけん》を出《だ》した後《あと》、体《からだ》が左《ひだり》に流《なが》れる癖《くせ》がある。気《き》をつけなさい」

「は、はい……!!」

コナンは手《て》を差《さ》し出《だ》したまま立《た》ち止《ど》まっていた。隣《となり》で阿笠博士《あがさはかせ》も同《おな》じポーズをしている。

その後《うし》ろで、小五郎《こごろう》が椅子《いす》から床《ゆか》へ倒《たお》れ落《お》ちた。

コナンは差《さ》し出《だ》した自分《じぶん》の小《ちい》さな手《て》を見《み》た。この体《からだ》では間《ま》に合《あ》ったとしても抱《だ》き止《と》めることなんてできやしない——。

「どこに行《い》くつもりなんだ」

牧野《まきの》の声《こえ》がして、コナンは振《ふ》り返《かえ》った。

「逃《に》げられるわけがない」

自分《じぶん》のデスクについた牧野《まきの》が、パシフィック・ブイの監視《かんし》カメラ映像《えいぞう》をチェックしている。

映像《えいぞう》の中《なか》で、コントロールルームを走《はし》り出《で》たピンガは、その先《さき》の丁字路《ていじろ》を右《みぎ》に曲《ま》がった。

「右《みぎ》に曲《ま》がったぞ！」

「了解《りょうかい》！」

コントロールルームを飛《と》び出《だ》した白鳥《しらとり》は、通路《つうろ》を走《はし》った。目暮《めぐれ》と佐藤《さとう》も後《あと》を追《お》う。

コナンは巨大《きょだい》モニターに映《うつ》る監視《かんし》カメラ映像《えいぞう》を見《み》ていた。身《み》を乗《の》り出《だ》し、通路《つうろ》を走《はし》るピンガを注視《ちゅうし》する。

（いや、そうじゃない。あれは……）

何《なに》かに気《き》づいたコナンは、スケボーを持《も》って走《はし》り出《だ》した。メインルームを出《で》てスケボーで通路《つうろ》を駆《か》け抜《ぬ》け、丁字路《ていじろ》を左《ひだり》に曲《ま》がる。


ピンガはドライデッキがある海中出入《かいちゅうでい》り口《ぐち》に向《む》かっていた。薄暗《うすぐら》い通路《つうろ》を歩《ある》きながら、女物《おんなもの》の服《ふく》を脱《ぬ》ぎ捨《す》て、黒《くろ》のジャケットを羽織《はお》る。ドアの前《まえ》で立《た》ち止《ど》まったピンガは、緩《ゆる》んだネクタイを締《し》め直《なお》した。

「待《ま》て！」

声《こえ》がして振《ふ》り向《む》くと、スケボーに乗《の》ったコナンが現《あらわ》れた。

「また<ruby>お前《まえ》か。なぜわかった」

「廊下《ろうか》の監視《かんし》カメラを一部反転《いちぶはんてん》したんでしょ？」

スケボーから下《お》りたコナンは、ニヤリと微笑《ほほえ》んだ。

「ピアスが逆《ぎゃく》になってたよ」

「！」

ピンガは左耳《ひだりみみ》につけたピアスに目《め》を向《む》けて、眉《まゆ》をひそめた。

「……いつからグレースが怪《あや》しいとにらんでた？」

「コーヒーを頼《たの》んだときだよ。フランス人《じん》なら、これが『二《ふた》つ』を表《あらわ》すってことを知《し》らないわけないからね」

コナンは言《い》いながら、親指《おやゆび》と人差《ひとさ》し指《ゆび》を立《た》てて見《み》せた。

日本人《にほんじん》が指《ゆび》で数字《すうじ》を数《かぞ》えるときは人差《ひとさ》し指《ゆび》から立《た》てるが、フランス人《じん》は親指《おやゆび》から立《た》てる。

グレースがフランス出身《しゅっしん》だと聞《き》いて、コナンはフランス式《しき》の『2』を指《ゆび》で作《つく》って見《み》せた。

しかし、グレースはコナンの指《ゆび》を見《み》て〝OK《オーケー》、砂糖入《さとうい》りコーヒーを一《ひと》つね〟と言《い》ったのだ。

「オメーはそれがわからなかった。そのとき思《おも》ったんだ。この人《ひと》、何《なに》かの理由《りゆう》で嘘《うそ》をついている、得体《えたい》の知《し》れない人《ひと》だってね」

黙《だま》って聞《き》いていたピンガは、ニヤリと口《くち》の端《はし》を持《も》ち上《あ》げた。

「……さすがだな。工藤新一《くどうしんいち》」

「なッ……!?」

コナンは一瞬耳《いっしゅんみみ》を疑《うたが》った。愕然《がくぜん》とするコナンの前《まえ》で、ピンガはスマホを取《と》り出《だ》す。

「俺《おれ》もお前《まえ》が気《き》になって調《しら》べたよ。まさか小《ちい》さくなって生《い》きていたとはな」

そう言《い》って見《み》せたスマホの画面《がめん》には、工藤新一《くどうしんいち》とコナンの画像《がぞう》が並《なら》んでいた。画像《がぞう》の下《した》には『老若認証一致《ろうにゃくにんしょういっち》』の文字《もじ》がある。工藤新一《くどうしんいち》を『老若認証《ろうにゃくにんしょう》』で検索《けんさく》したのだ。

(やべぇ……)

工藤新一《くどうしんいち》が生《い》きているとバレた——。かつてないピンチに陥《おちい》ったコナンの心臓《しんぞう》が波打《なみう》つ。

(どうする? どうする!?)

コナンは焦《あせ》る気持《きも》ちを押《お》さえながら、必死《ひっし》で考《かんが》えを巡《めぐ》らせた。

「直美《なおみ》とシェリーは逃《のが》しちまったが、これをラムに見《み》せれば俺《おれ》は組織《そしき》でのし上《あ》がり、お前《まえ》を始末《しまつ》したと思《おも》っているジンの顔《かお》をつぶすことができるってわけだ」

スマホを懐《ふところ》にしまったピンガは、肩《かた》をすくめて両手《りょうて》を広《ひろ》げた。意《い》を決《けっ》したコナンが、一《いっ》歩《ぽ》一歩近《いっぽちか》づいていく。

「通常《つうじょう》、殺人《さつじん》を犯《おか》してしまった人《ひと》は平常心《へいじょうしん》ではいられない。だから普通《ふつう》とは違《ちが》う行動《こうどう》を取《と》ってしまう。だが、アンタは逆《ぎゃく》だ。慣《な》れすぎてんだよ、人《ひと》の死《し》に！」

コナンはピンガの前《まえ》で立《た》ち止《ど》まった。ピンガが訝《いぶか》しそうにコナンを見《み》る。

「アンタ、ジンにそっくりだよ……って言《い》いたいところだけど、奴《やつ》ならこんなヘマはやらねぇ。ジンもどきのただのチンピラってところかな？」

「!!」

ピンガの表情《ひょうじょう》が一変《いっぺん》した。

「ムカつく奴《やつ》の名前《なまえ》を出《だ》すんじゃねぇ!!」

いきなりコナンの首元《くびもと》をつかんで振《ふ》り上《あ》げ、投《な》げ飛《と》ばした。ドアにぶつかったコナンの体《からだ》が床《ゆか》に落《お》ちる。ピンガは床《ゆか》に倒《たお》れたコナンに近《ちか》づき、バンッとドアに手《て》をついた。

「ジンの野郎《やろう》と似《に》てるってだけでも虫唾《むしず》が走《はし》るっつうのによォ！　あのクソ野郎《やろう》より下《した》のもどきだと!?」

ピンガは床《ゆか》に転《ころ》がるコナンを蹴《け》った。

「がはッ！」

体《からだ》を起《お》こして逃《に》げようとするコナンに、何度《なんど》も蹴《け》りを入《い》れる。やがて冷静《れいせい》さを取《と》り戻《もど》したピンガは、コナンの首元《くびもと》をつかんで引《ひ》き上《あ》げた。

「工藤新一《くどうしんいち》！　もちろんお前《まえ》は連《つ》れていく。いい土産《みやげ》になるぜ。体《からだ》が縮《ちぢ》んだからくりをラムの前《まえ》で吐《は》かせてやる！」

宙《ちゅう》に吊《つ》り上《あ》げられたコナンは、苦痛《くつう》に顔《かお》をゆがめ、切《き》れた口《くち》の端《はし》を舐《な》めた。ピンガはコナンを持《も》ち上《あ》げたままドアを開《あ》けると、ドライデッキの手前《てまえ》にある部屋《へや》に入《はい》った。ドアを開《あ》けたまま、ドアの横《よこ》にあるボタンを押《お》す。

すると、通路《つうろ》の奥《おく》から佐藤《さとう》と白鳥《しらとり》が走《はし》ってきた。ピンガは二人《ふたり》を見《み》ている。コナンはとっさにピンガのジャケットの内《うち》ポケットに手《て》を伸《の》ばした。

「くっ！　この野郎《やろう》！」

スマホを取《と》ろうとするコナンに気《き》づいたピンガは、コナンの体《からだ》を引《ひ》き離《はな》した。内《うち》ポケットから取《と》られたスマホを取《と》り返《かえ》し、コナンに膝蹴《ひざげ》りを食《く》らわす。

「ぐっ！」

蹴《け》りを入《い》れられたコナンは通路《つうろ》へ吹《ふ》っ飛《と》んだ。背後《はいご》でドアが閉《し》まる。

「コナン君《くん》！」

通路《つうろ》を走《はし》ってきた佐藤《さとう》が、コナンのそばで膝《ひざ》をついた。

「アイツ、なんてことを！　早《はや》く医務室《いむしつ》に――」

「大丈夫《だいじょうぶ》」

コナンはゆっくりと立《た》ち上《あ》がった。

「……それより、あのとき怒鳴《どな》ってごめんなさい」

とペコリと頭《あたま》を下《さ》げる。

〝オレはホントに潜水艦《せんすいかん》を見《み》たんだ!!〟

灰原《はいばら》が拉致《らち》された後《あと》、ホテルで声《こえ》を荒《あら》らげてしまったことを謝《あやま》った。

「いいのよ、私《わたし》も信《しん》じてあげられなくてごめんね」

佐藤《さとう》も、コナンを信《しん》じてあげられなかったことを詫《わ》びる。立《た》ち上《あ》がった佐藤《さとう》は白鳥《しらとり》と共《とも》にドアの前《まえ》に立《た》った。

「おい開《あ》けろ！」

「開《あ》けなさい！」

ドアを叩《たた》いたり、ドア横《よこ》にある端末《たんまつ》のボタンを押《お》すが、ドアは開《あ》かない。コナンはドアに背《せ》を向《む》けて走《はし》り出《だ》した。

（逃《に》がすかよ！）

そのとき、ポケットに入《い》れたスマホが震《ふる》えた。スマホの画面《がめん》を見《み》ると——安室《あむろ》からの着《ちゃく》信《しん》だ。

「安室《あむろ》さん！」

都内《とない》の埠頭《ふとう》に車《くるま》を停《と》めた安室《あむろ》は、コナンに電話《でんわ》をかけていた。

海《うみ》の向《む》こう側《がわ》にはたくさんの工場《こうじょう》が軒《のき》を連《つら》ね、無数《むすう》の照明《しょうめい》がプラントを照《て》らし出《だ》して、幻想的《げんそうてき》な光景《こうけい》を作《つく》り出《だ》している。

「まだパシフィック・ブイにいるのか？」

安室《あむろ》がたずねると、

『え？　うん』

イヤホンマイクからコナンの不思議《ふしぎ》そうな声《こえ》が聞《き》こえてきた。

「何《なに》やってる。すぐに逃《に》げるんだ。もうすぐそこに——」

「なんだって⁉」

通路《つうろ》で立《た》ち止《ど》まったコナンは、安室《あむろ》の言葉《ことば》に目《め》を丸《まる》くした。

「早《はや》くみんなに知《し》らせないと──」

『いや、それはもう済《す》んだ』

安室《あむろ》が落《お》ち着《つ》いた声《こえ》で言《い》った。


メインルームでは、黒田《くろだ》が声《こえ》を張《は》り上《あ》げていた。

「繰《く》り返《かえ》す！　民間人《みんかんじん》は至急退避《しきゅうたいひ》！　魚雷《ぎょらい》に狙《ねら》われている可能性《かのうせい》がある！」

職員達《しょくいんたち》が次々《つぎつぎ》と出入《でい》り口《ぐち》へ向《む》かう中《なか》、自分《じぶん》のデスクについた牧野《まきの》は、悔《くや》しそうにデスクを叩《たた》いた。

「ここにいる人間《にんげん》をシステムごと葬《ほうむ》るつもりか……ッ！」

黒田《くろだ》は職員《しょくいん》が移動《いどう》するのを見届《みとど》けながら、「目暮《めぐれ》」と呼《よ》んだ。

「陣頭指揮《じんとうしき》を頼《たの》む」

「はい！」

目暮《めぐれ》は階段《かいだん》を下《お》りて、床《ゆか》で寝転《ねころ》がっている小五郎《こごろう》に駆《か》け寄《よ》った。阿笠博士《あがさはかせ》と二人《ふたり》で小五《こご》郎《ろう》の体《からだ》を起《お》こし、小五郎《こごろう》の腕《うで》を肩《かた》に回《まわ》して担《かつ》ぐ。

「お父《とう》さん、起《お》きてよ！　お父《とう》さん！」

「にゃあ〜、ハッハッ……」

蘭《らん》の声《こえ》で意識《いしき》を戻《もど》した小五郎《こごろう》は、急《きゅう》に笑《わら》い出《だ》したかと思《おも》うと、すぐにカクンとうなだれた。

技術者《ぎじゅつしゃ》たちと残《のこ》っていた牧野《まきの》は、コンソールを操作《そうさ》した。

「相手《あいて》はたかが潜水艦《せんすいかん》一艇《いってい》。装備《そうび》の数《かず》が違《ちが》う。『デコイ』の準備《じゅんび》だ！」

「はい！」

慌《あわ》ただしくキーボードを打《う》つ牧野《まきの》の腕《うで》の下《した》で、デスクの裏側《うらがわ》に貼《は》りつけられた発信器《はっしんき》がキラリと光《ひか》った。

『デコイ？』

安室《あむろ》の右耳《みぎみみ》につけたイヤホンマイクから、コナンのつぶやく声《こえ》が聞《き》こえてきた。

「魚雷《ぎょらい》を誘導《ゆうどう》する囮《おとり》だ。それより早《はや》くそこから――」

『あ、ちょっと待《ま》って！』

コナンの声《こえ》が安室《あむろ》の言葉《ことば》を遮《さえぎ》った。

イヤホンマイクから、ピッとスマホの操作音《そうさおん》が聞《き》こえてくる。そして、

『赤井《あかい》さん！』

コナンの呼《よ》ぶ声《こえ》がして、安室《あむろ》は大《おお》きく目《め》を見張《みは》った。

(赤井《あかい》だと!?)


安室《あむろ》と通話《つうわ》している途中《とちゅう》で別《べつ》のスマホが鳴《な》り、コナンは安室《あむろ》を待《ま》たせて電話《でんわ》に出《で》た。

『どんな状況《じょうきょう》だ、ボウヤ』

電話《でんわ》は赤井《あかい》からだった。


「……待《ま》って」

コナンはそう言《い》うとスマホの画面《がめん》をタップして、スピーカーフォンに切《き》り替《か》えた。さらに安室《あむろ》と通話《つうわ》しているスマホもスピーカーフォンに切《き》り替《か》える。

「ピンガは潜水艦《せんすいかん》に逃《に》げ込《こ》むつもりだよ」

コナンは言《い》いながら、両方《りょうほう》のスマホをゆっくりと近《ちか》づけた。

『潜水艦《せんすいかん》にダメージを与《あた》える武器《ぶき》を米軍《べいぐん》から手《て》に入《い》れてある』

左手《ひだりて》に持《も》ったスマホから赤井《あかい》の声《こえ》がすると、

『米軍《べいぐん》の武器《ぶき》を日本国内《にっぽんこくない》で使《つか》う気《き》か』

右手《みぎて》に持《も》ったスマホから安室《あむろ》の険《けわ》しい声《こえ》が聞《き》こえてくる。

赤井《あかい》を乗《の》せたヘリコプターは、八丈島《はちじょうじま》の上空《じょうくう》を飛《と》んでいた。ヘッドセットから安室《あむろ》の声《こえ》が聞《き》こえてきて、意外《いがい》そうな顔《かお》をする。

「その声《こえ》は安室《あむろ》……いや、降谷零君《ふるやれいくん》か。日本《にっぽん》に迫《せま》る脅威《きょうい》を打《う》ち払《はら》うのも、在日米軍《ざいにちべいぐん》の役割《やくわり》じゃなかったかな？」

赤井《あかい》が皮肉《ひにく》交《ま》じりに言《い》うと、ヘッドセットの向《む》こうで安室《あむろ》が『フン』と鼻《はな》を鳴《な》らした。

『日本《にっぽん》で勝手《かって》に活動《かつどう》してるＦＢＩ《エフビーアイ》の台詞《せりふ》とは思《おも》えんが……今《いま》は一刻《いっこく》の猶予《ゆうよ》もない。止《と》められるんだろうな、その武器《ぶき》で』

「ああ。潜水艦《せんすいかん》の位置《いち》さえわかればな。――できるか？　ボウヤ」

『うん！　やってみる』

コナンの力強《ちからづよ》い声《こえ》に続《つづ》いて、安室《あむろ》の声《こえ》が聞《き》こえてくる。

『組織随一《そしきずいいち》のスナイパー……海自《かいじ》が来《く》る前《まえ》に済《す》ませろよ、ライ』

「もちろんそのつもりだよ、バーボン」

二人《ふたり》は互《たが》いにコードネームで呼《よ》び合《あ》った。

通話《つうわ》を切《き》った安室《あむろ》が車《くるま》の外《そと》で海《うみ》を眺《なが》めていると、公安警察官《こうあんけいさつかん》の風見裕也《かざみゆうや》が走《はし》ってきた。

「降谷《ふるや》さん！　あと二分《にふん》で容疑者《ようぎしゃ》が到着《とうちゃく》します！」

声《こえ》をかけても反応《はんのう》しない安室《あむろ》に、立《た》ち止《ど》まった風見《かざみ》は怪訝《けげん》そうな顔《かお》を向《む》ける。

「……降谷《ふるや》さん？」

「ああ、わかった」

安室《あむろ》は風見《かざみ》の方《ほう》を向《む》くと、静《しず》かに歩《ある》いていった。

10

小五郎《こごろう》の腕《うで》を肩《かた》に担《かつ》いだ阿笠博士《あがさはかせ》たちがエレベータで海上部《かいじょうぶ》に上《あ》がると、大勢《おおぜい》の人《ひと》たちが船着《ふなつ》き場《ば》へ向《む》かっていた。直美《なおみ》や灰原《はいばら》の姿《すがた》もある。

阿笠博士《あがさはかせ》は右肩《みぎかた》に大《おお》きなバッグをかけていた。そのバッグを船着《ふなつ》き場《ば》に続《つづ》く橋《はし》の手前《てまえ》で投《な》げ捨《す》てる。

阿笠博士《あがさはかせ》と共《とも》に小五郎《こごろう》の腕《うで》を肩《かた》に担《かつ》いだ目暮《めぐれ》は、橋《はし》を渡《わた》りながら言《い》った。

「もうすぐ警備艇《けいびてい》が到着《とうちゃく》します。皆《みな》さんはそれで避難《ひなん》してください！」

すると、船着《ふなつ》き場《ば》の方《ほう》から丑尾《うしお》が小走《こばし》りにやってきた。

「俺《おれ》は自分《じぶん》の船《ふね》がある」

「あ、頼《たの》みます」

目暮《めぐれ》は小五郎《こごろう》の腕《うで》を自分《じぶん》の肩《かた》から外《はず》して、丑尾《うしお》に預《あず》けた。


その頃《ころ》。ベルモットは都内《とない》のベイエリアにあるホテルにいた。

リビングと寝室《しんしつ》が仕切《しき》られたスイートルームで、バスローブを羽織《はお》ったベルモットは、美《うつく》しい夜景《やけい》が見《み》える窓際《まどぎわ》のデスクについていた。イチゴとシャンパンが置《お》かれたデスクでノートパソコンを開《ひら》き、タッチパッドに指《ゆび》を滑《すべ》らせる。

そして、人差《ひとさ》し指《ゆび》でキーを押《お》した。

海水《かいすい》で満《み》たされたドライデッキの中《なか》で、ドライスーツにエアタンクを背負《せお》ったピンガは海中《かいちゅう》ドアが開《あ》くのを待《ま》っていた。

やがて海中《かいちゅう》ハッチがゆっくりと開《ひら》き始《はじ》めた。

ピンガは水《みず》をかき分《わ》けてハッチに向《む》かった。開《ひら》いたハッチから海中《かいちゅう》へと出《で》て行《い》く――。

コンソールを操作《そうさ》していたエドが、ハッと顔《かお》を上《あ》げた。

「また遠隔操作《えんかくそうさ》されている！」

「何《なに》!?」

牧野《まきの》は目《め》の前《まえ》の巨大《きょだい》モニターを見《み》た。分割《ぶんかつ》されたモニターの中《なか》に、海中《かいちゅう》ハッチ解除《かいじょ》を告《つ》げる警告表示《けいこくひょうじ》が出《で》ている。

「閉《と》じたはずだろう」

黒田《くろだ》が言《い》うと、エドは悔《くや》しげに唇《くちびる》を噛《か》んだ。

「新《あら》たなバックドア！　グレースの奴《やつ》!!」

「いつの間《ま》に……」

牧野《まきの》は信《しん》じられないといった顔《かお》つきで、巨大《きょだい》モニターを見《み》つめた。


「撃《て》ィ!!」

潜水艦《せんすいかん》の発令所《はつれいしょ》で、ジンが叫《さけ》んだ。

次《つぎ》の瞬間《しゅんかん》、発射管《はっしゃかん》に装填《そうてん》された二本《にほん》の魚雷《ぎょらい》が圧縮空気《あっしゅくくうき》に押《お》し出《だ》されて、一気《いっき》に海中《かいちゅう》へ放《はな》たれた。放《はな》たれた魚雷《ぎょらい》は標的《ひょうてき》に向《む》かって海中《かいちゅう》を突《つ》き進《すす》む——！

「魚雷《ぎょらい》を探知《たんち》！」

技術者《ぎじゅつしゃ》の声《こえ》とともに、警告音《けいこくおん》がコントロールルームに鳴《な》り響《ひび》いた。

巨大《きょだい》モニターに表示《ひょうじ》されたレーダー画面《がめん》では、魚雷《ぎょらい》を示《しめ》す二《ふた》つのアイコンがものすごいスピードでパシフィック・ブイに迫《せま》っている。

「デコイ発射《はっしゃ》！」

「デコイ発射了解《はっしゃりょうかい》！」

技術者《ぎじゅつしゃ》が牧野《まきの》の命令《めいれい》を復唱《ふくしょう》すると、パシフィック・ブイを囲《かこ》う巨大《きょだい》なリングから二発《にはつ》のデコイが発射《はっしゃ》された。魚雷《ぎょらい》の進路《しんろ》に向《む》かって突《つ》き進《すす》んだデコイは、四枚《よんまい》の羽根《はね》を水平《すいへい》に広《ひろ》げて、海中《かいちゅう》を浮遊《ふゆう》しながら音波発信《おんぱはっしん》を開始《かいし》した。

パシフィック・ブイに接近《せっきん》する二発《にはつ》の魚雷《ぎょらい》が、音波《おんぱ》を発《はっ》するデコイに引《ひ》き寄《よ》せられ、針《しん》路《ろ》を大《おお》きく変《か》えていく。

「魚雷《ぎょらい》、針路変更《しんろへんこう》！」

「デコイにかかりました！」

巨大《きょだい》モニターのレーダー画面《がめん》では、針路《しんろ》を変《か》えた魚雷《ぎょらい》がデコイに向《む》かって突《つ》き進《すす》んでいた。魚雷《ぎょらい》のアイコンがデコイのアイコンに到達《とうたつ》すると、コントロールルームが大《おお》きく揺《ゆ》れた。魚雷《ぎょらい》がデコイにぶつかって爆発《ばくはつ》した衝撃《しょうげき》が、離《はな》れたパシフィック・ブイまで伝《つた》わってきたのだ。

「いいぞ！」「やった！」

技術者《ぎじゅつしゃ》たちは揺《ゆ》れに耐《た》えながらも、勝利《しょうり》を喜《よろこ》んだ。

潜水艦《せんすいかん》の発令所《はつれいしょ》でレーダー画面《がめん》の前《まえ》にいたウォッカは、魚雷《ぎょらい》が急《きゅう》に針路《しんろ》を変《か》えて標的《ひょうてき》から逸《そ》れていくのを見《み》て、くそっと歯噛《はが》みした。

「デコイに引《ひ》っ張《ぱ》られた！」

「構《かま》わん。撃《う》ち続《つづ》けろ」

ジンが命令《めいれい》を下《くだ》すと、魚雷発射管室《ぎょらいはっしゃかんしつ》の乗組員《のりくみいん》が二門《にもん》の発射管《はっしゃかん》に魚雷《ぎょらい》を装填《そうてん》した。

安室達《あむろたち》との電話《でんわ》を終《お》えたコナンは、スケボーを持《も》ってエレベータで海上部《かいじょうぶ》に上《あ》がった。

(止《と》めてやる！　奴《やつ》らの潜水艦《せんすいかん》を止《と》めてやる‼)

エレベータが海上部《かいじょうぶ》に到着《とうちゃく》すると、スケボーに乗《の》って船着《ふなつ》き場《ば》へ向《む》かう。

橋《はし》の手前《てまえ》に大《おお》きなバッグが置《お》いてあった。阿笠博士《あがさはかせ》が投《な》げ捨《す》てたバッグだ。

コナンはバッグの前《まえ》で止《と》まり、バッグのファスナーを開《あ》けた。中《なか》にはイルカ型《がた》の水中《すいちゅう》スクーターと海中《かいちゅう》ヘッドセット、そして小型《こがた》エアタンクが入《はい》っていた。

「サンキュー、博士《はかせ》」

船着《ふなつ》き場《ば》に到着《とうちゃく》したコナンは、海中《かいちゅう》ヘッドセットを着《つ》けて小型《こがた》エアタンクをくわえると、イルカ型《がた》の水中《すいちゅう》スクーターを持《も》って海《うみ》へ飛《と》び込《こ》んだ。

パシフィック・ブイから離《はな》れた海面《かいめん》には、大《おお》きな水柱《みずばしら》が立《た》て続《つづ》けに上《あ》がった。それはデコイに誘導《ゆうどう》された魚雷《ぎょらい》が爆発《ばくはつ》した水柱《みずばしら》だった。

窓《まど》の外《そと》に広《ひろ》がる夜景《やけい》を眺《なが》めながら、ベルモットはシャンパンが注《そそ》がれたグラスに唇《くちびる》をつけた。炭酸《たんさん》の刺激《しげき》と共《とも》に、上品《じょうひん》な甘《あま》みと芳醇《ほうじゅん》な香《かお》りが口《くち》の中《なか》に広《ひろ》がっていく。

シャンパンを飲《の》み干《ほ》したベルモットは、デスクの上《うえ》に広《ひろ》げられたノートパソコンに目《め》を移《うつ》した。画面《がめん》にはパシフィック・ブイの3D《スリーディー》データが表示《ひょうじ》されている。

ベルモットは空《から》のグラスを片手《かたて》に持《も》ったまま、キーボードを操作《そうさ》した。『ロック解除《かいじょ》』の文字《もじ》と共《とも》に、パシフィック・ブイのリング部分《ぶぶん》が拡大《かくだい》される。

「ダメよ。玉手箱《たまてばこ》は、海《うみ》の底《そこ》に沈《しず》んでないとね」

グラスを頬《ほお》に当《あ》てたベルモットは、人差《ひとさ》し指《ゆび》でキーを押《お》した。

突然《とつぜん》、デコイの発射口《はっしゃこう》のハッチが閉《と》じられた。

「デコイの発射口《はっしゃこう》が開《あ》きません！」

システムを操作《そうさ》していた技術者《ぎじゅつしゃ》が叫《さけ》び、牧野《まきの》が「何《なに》⁉」と立《た》ち上《あ》がった。

「エド！」

呼《よ》びかけると、青《あお》ざめながらコンソールのモニターを見《み》ていたエドが振《ふ》り返《かえ》った。

「ダメだ。防御《ぼうぎょ》システムも遠隔操作《えんかくそうさ》されている……！」

「なんだと⁉」

牧野《まきの》は愕然《がくぜん》とした。まさか防御《ぼうぎょ》システムまで遠隔操作《えんかくそうさ》されるとは思《おも》いもしなかったのだ。デコイが発射《はっしゃ》できないとなると、敵《てき》から魚雷《ぎょらい》を撃《う》ち込《こ》まれたらもはや避《さ》けられない
――！

そのとき、別《べつ》の技術者《ぎじゅつしゃ》が叫《さけ》んだ。

「魚雷《ぎょらい》を捕捉《ほそく》！」

巨大《きょだい》モニターに表示《ひょうじ》されたレーダー画面《がめん》に二《ふた》つの魚雷《ぎょらい》が出現《しゅつげん》して、パシフィック・ブイに迫《せま》っている。

「牧野局長《まきのきょくちょう》！　決断《けつだん》を‼」

黒田《くろだ》が声《こえ》を張《は》り上《あ》げた。

「90秒《びょう》で着弾《ちゃくだん》！」

再《ふたた》び技術者《ぎじゅつしゃ》の声《こえ》が響《ひび》き、デスクに両手《りょうて》をついた牧野《まきの》の顔《かお》に汗《あせ》が伝《つた》う。

苦渋《くじゅう》に顔《かお》をゆがめた牧野《まきの》は、上体《じょうたい》を起《お》こして技術者《ぎじゅつしゃ》たちの方《ほう》を振《ふ》り返《かえ》った。

「総員《そういん》、至急退避《しきゅうたいひ》！　施設内全《しせつないすべ》てに避難指示《ひなんしじ》を!!　急《いそ》げ!!」


海《うみ》に飛《と》び込《こ》んだコナンは、水中《すいちゅう》スクーターのハンドルを握《にぎ》り、魚雷《ぎょらい》の爆発《ばくはつ》で濁《にご》った海《うみ》の中《なか》を進《すす》んでいた。

(水《みず》は空気《くうき》に比《くら》べて圧縮《あっしゅく》されないから、水中《すいちゅう》の衝撃波《しょうげきは》は秒速千五百《びょうそくせんごひゃく》メートルにもなる。魚《ぎょ》雷《らい》の衝撃《しょうげき》を避《さ》けるには、岩礁帯《がんしょうたい》しかねぇ……)

そのとき、遠《とお》くの方《ほう》で何《なに》かが白《しろ》い泡《あわ》の尾《お》を引《ひ》いて一直線《いっちょくせん》に走《はし》っていくのが見《み》えた。魚雷《ぎょらい》だ。パシフィック・ブイに向《む》かっている。しかし、パシフィック・ブイからデコイは発射《はっしゃ》されていない。

(デコイが出《で》てねぇ！　避難《ひなん》は間《ま》に合《あ》ったのか!?)

瞬時《しゅんじ》に理解《りかい》したコナンは、前《まえ》を向《む》き、水中《すいちゅう》スクーターのスピードを上《あ》げて海中《かいちゅう》を突《つ》き進《すす》んだ。

再《ふた》び二本《にほん》の魚雷《ぎょらい》を放《はな》った潜水艦《せんすいかん》の発令所《はつれいしょ》では、レーダー画面《がめん》の前《まえ》にいる乗組員《のりくみいん》がカウントダウンを始《はじ》めた。

「着弾《ちゃくだん》まで十《じゅう》、九《きゅう》、八《はち》……」

潜望鏡《せんぼうきょう》のそばに立《た》っているジンがニヤリと微笑《ほほえ》む。

「これでパシフィック・ブイは終《しま》いだ」

「六《ろく》、五《ご》……」

レーダー画面《がめん》に表示《ひょうじ》された魚雷《ぎょらい》のアイコンが、パシフィック・ブイに着々《ちゃくちゃく》と迫《せま》る。

キールは険《けわ》しい表情《ひょうじょう》でレーダー画面《がめん》を見《み》つめた。

「二《に》、一《いち》……ゼロ！」

ジンがカッと目《め》を見開《みひら》くと同時《どうじ》に、魚雷《ぎょらい》のアイコンがパシフィック・ブイに到達《とうたつ》した。

白《しろ》い航跡《こうせき》を曳《ひ》いて突《つ》き進《すす》んだ二本《にほん》の魚雷《ぎょらい》は、パシフィック・ブイを囲《かこ》むリングをすり抜《ぬ》け、中心部《ちゅうしんぶ》に命中《めいちゅう》した。

ドオオォォオンッ！

凄《すさ》まじい爆発音《ばくはつおん》とともに、パシフィック・ブイの中心部《ちゅうしんぶ》が吹《ふ》き飛《と》び、海中《かいちゅう》に炎《ほのお》が広《ひろ》がった。さらに水中爆発《すいちゅうばくはつ》が海《うみ》を揺《ゆ》らし、強烈《きょうれつ》な衝撃波《しょうげきは》を放《はな》つ――。

警備艇《けいびてい》で避難《ひなん》した牧野《まきの》たちは波《なみ》に揺《ゆ》られながら、爆煙《ばくえん》を巻《ま》き上《あ》げるパシフィック・ブイを呆然《ぼうぜん》と見《み》つめた。

「なんてことだ……」

「ああ、パシフィック・ブイが……」

同《おな》じ船《ふね》に乗《の》った直美《なおみ》も立《た》ち尽《つ》くしていた。

『老若認証《ろうにゃくにんしょう》』システムを搭載《とうさい》したパシフィック・ブイが、そのシステムもろともに今《いま》、沈《しず》もうとしている――。


黒田《くろだ》たち警察官《けいさつかん》が乗《の》った警備艇《けいびてい》は、最後《さいご》の職員《しょくいん》を乗《の》せて船着《ふなつ》き場《ば》を離《はな》れた。

パシフィック・ブイの海上部《かいじょうぶ》からは爆炎《ばくえん》が上《あ》がり、巨大《きょだい》なクレーンが激《はげ》しい音《おと》を立《た》てて倒《たお》れていく。

火《ひ》の粉《こ》が飛《と》び散《ち》る中《なか》、黒田《くろだ》は険《けわ》しい表情《ひょうじょう》で崩《くず》れていくパシフィック・ブイを見《み》つめた。

(あのシステムはいくらでも悪用《あくよう》できただろうに、まさか破壊《はかい》するとは……。それとも組織《ヤツら》に破壊《はかい》せざるを得《え》ない事情《じじょう》が、何《なに》かあったのか……？）

魚雷《ぎょらい》を放《はな》った潜水艦《せんすいかん》は、パシフィック・ブイから離《はな》れた岩礁帯《がんしょうたい》で身《み》を潜《ひそ》めていた。

「兄貴《あにき》、ピンガからです」

発令所《はつれいしょ》にいるウォッカが、手《て》にしたスマホをジンに向《む》けた。

「貸《か》せ」

ジンはスマホを受《う》け取《と》ると、耳《みみ》に当《あ》てた。

『最後《さいご》の仕上《しあ》げが終《お》わったようだな』

「早《はや》く合流《ごうりゅう》しろ。お前《まえ》に見《み》せたいもんがある」

ジンはそばにあるタブレットをチラリと見《み》た。画面《がめん》には、ベルモットから送《おく》られてきたシェリーの老若認証結果《ろうにゃくにんしょうけっか》が表示《ひょうじ》されている。

『そいつは奇遇《きぐう》だな』

海《うみ》にいるピンガの得意《とくい》げな声《こえ》が聞《き》こえてきた。

『こっちはお前《まえ》が二度《にど》と組織《そしき》で偉《えら》そうなツラができねぇような土産《みやげ》を持《も》ってるぜ。合流《ごうりゅう》するのが楽《たの》しみだな』

「ああ、後《あと》でな……」

ジンは耳《みみ》に当《あ》てたスマホをにらみつけながら言《い》うと、スマホを下《お》ろした。

水中《すいちゅう》スクーターで海中《かいちゅう》を進《すす》んでいたコナンは、予想《よそう》したとおり岩礁帯《がんしょうたい》で潜水艦《せんすいかん》を見《み》つけた。手前《てまえ》にある岩場《いわば》に隠《かく》れ、装着《そうちゃく》した海中《かいちゅう》ヘッドセットで、ヘリコプターで飛《と》んでいる赤《あか》井《い》と通信《つうしん》する。

「聞《き》こえる？　赤井《あかい》さん！　潜水艦《せんすいかん》を見《み》つけたよ。岩礁帯《がんしょうたい》の中腹辺《ちゅうふくあた》りにいる！」

『岩礁帯《がんしょうたい》の位置《いち》は海図《かいず》で確認済《かくにんず》みだが、範囲《はんい》が広《ひろ》すぎる』

「潜水艦《せんすいかん》の形《かたち》が見《み》えたら、狙撃《そげき》できる？」

コナンは言《い》いながら、周囲《しゅうい》を見回《みまわ》した。

灰原《はいばら》は阿笠博士《あがさはかせ》や蘭《らん》と一緒《いっしょ》に丑尾《うしお》のクルーザーに乗《の》っていた。

パシフィック・ブイが爆発《ばくはつ》して、コナンのことが心配《しんぱい》になった灰原《はいばら》は、水中《すいちゅう》スクーターと一緒《いっしょ》に甲板《かんぱん》に置《お》いてあった海中《かいちゅう》ヘッドセットを手《て》に取《と》り、装着《そうちゃく》する。

すると、赤井《あかい》と通信《つうしん》するコナンの声《こえ》が聞《き》こえてきた。コナンは潜水艦《せんすいかん》がいる岩礁帯《がんしょうたい》のそばにいるらしい。さらに潜水艦《せんすいかん》を狙撃《そげき》するつもりだ。

『できるが、どうする気《き》だ』

『なんとかするよ』

二人《ふたり》の通信《つうしん》が切《き》れて、灰原《はいばら》は甲板《かんぱん》に立《た》ち尽《つ》くした。

「工藤君《くどうくん》……」

潜水艦《せんすいかん》を狙撃《そげき》するなんて、無茶《むちゃ》だ。しかもコナンはなんらかの方法《ほうほう》で、潜水艦《せんすいかん》の位置《いち》を赤井《あかい》に知《し》らせようとしている。危険《きけん》だ。危険《きけん》すぎる――。

(何《なに》してんのよ、あのバカ……!)

灰原《はいばら》は甲板《かんぱん》に置《お》いてあった小型《こがた》エアタンクを手《て》に取《と》り、口《くち》にくわえた。さらにサメ型《がた》の水中《すいちゅう》スクーターを持《も》ち上《あ》げる。

「哀君《あいくん》!」

二階《にかい》の操縦席《そうじゅうせき》にいた阿笠博士《あがさはかせ》が、水中《すいちゅう》スクーターを持《も》って縁《ふち》に立《た》つ灰原《はいばら》に気《き》づいた。

「哀君《あいくん》! それはダメじゃ! バッテリーが――」

「博士《はかせ》、危《あぶ》ない!」

蘭《らん》が身《み》を乗《の》り出《だ》す阿笠博士《あがさはかせ》を引《ひ》っ張《ぱ》ると同時《どうじ》に、灰原《はいばら》が海《うみ》に飛《と》び込《こ》んだ。

ピンガとの通話《つうわ》を切《き》ったジンは、ウォッカらと共《とも》にコンソールのモニターを見《み》ていた。

「パシフィック・ブイはもう沈《しず》みやすぜ」

「よし。ピンガとの合流地点《ごうりゅうちてん》に急《いそ》げ」

ジンはニヤリと口《くち》の端《はし》を持《も》ち上《あ》げた。

尖《とが》った艦尾《かんび》のスクリューが回転《かいてん》を始《はじ》めて、潜水艦《せんすいかん》がゆっくりと向《む》きを変《か》える。


潜水艦《せんすいかん》からやや離《はな》れた岩場《いわば》で、コナンは穴《あな》が空《あ》いた岩《いわ》にボール射出《しゃしゅつ》ベルトを巻《ま》きつけていた。バックルにベルトの先端《せんたん》をカシャッとはめ込《こ》む。

そのとき、岩場《いわば》に置《お》いた水中《すいちゅう》スクーターが強《つよ》い水流《すいりゅう》に押《お》し流《なが》された。

コナンが驚《おどろ》いて水中《すいちゅう》スクーターが流《なが》れていく方向《ほうこう》を振《ふ》り向《む》くと、停止《ていし》していたはずの潜《せん》水艦《すいかん》が動《うご》き出《だ》して間近《まぢか》に迫《せま》っていた。

強《つよ》い水流《すいりゅう》にさらわれた水中《すいちゅう》スクーターは、潜水艦《せんすいかん》のスクリューに巻《ま》き込《こ》まれて爆発《ばくはつ》する。

コナンはとっさにベルトを巻《ま》きつけた岩《いわ》につかまった。スクリューが起《お》こす強烈《きょうれつ》な水流《すいりゅう》に流《なが》されそうになる。

岩《いわ》につかまったコナンは、激《はげ》しい水流《すいりゅう》に必死《ひっし》で耐《た》えた。

(まだだ……もっと引《ひ》きつけてから……)

潜水艦《せんすいかん》が近《ちか》づくにつれて、水流《すいりゅう》がさらに速《はや》く激《はげ》しくなった。岩《いわ》をつかんだ手《て》がしびれ、さらに海中《かいちゅう》ヘッドセットと小型《こがた》エアタンクが外《はず》れて流《なが》されてしまう。

ゴボォッと息《いき》を吐《は》き出《だ》したコナンは、水流《すいりゅう》に耐《た》えながら、岩《いわ》に巻《ま》きつけたベルトのバックルに右手《みぎて》を伸《の》ばした。

(今《いま》だ!!)

射出《しゃしゅつ》ボタンを押《お》すと、バックルから花火《はなび》ボールが飛《と》び出《だ》した。激《はげ》しい水流《すいりゅう》に巻《ま》き込《こ》まれた花火《はなび》ボールは、潜水艦《せんすいかん》の真下《ました》に吸《す》い込《こ》まれるように流《なが》れて、爆発《ばくはつ》する。

暗《くら》い海《うみ》の中《なか》に放《はな》たれた色《いろ》とりどりの鮮明《せんめい》な光《ひかり》が、黒鉄《くろがね》の潜水艦《せんすいかん》を照《て》らし出《だ》した。

「う、海《うみ》が光《ひか》ってます!!」

潜水艦《せんすいかん》の発令所《はつれいしょ》で、水中《すいちゅう》カメラの映像《えいぞう》を見《み》ていた乗組員《のりくみいん》が叫《さけ》んだ。

「何《なに》……!?」

ジンはコンソールに歩《あゆ》み寄《よ》り、乗組員《のりくみいん》の肩越《かたご》しにモニターを見《み》た。

暗《くら》い海中《かいちゅう》で、無数《むすう》のまばゆい閃光《せんこう》が煌《きら》めいている――。

岩礁帯《がんしょうたい》の上空《じょうくう》でホバリングするヘリコプターの中《なか》で、赤井《あかい》はロケットランチャーを構《かま》えて、そのときを待《ま》っていた。

すると突然《とつぜん》、眼下《がんか》に広《ひろ》がる漆黒《しっこく》の海《うみ》からまばゆい光《ひかり》が広《ひろ》がった。巨大《きょだい》な光《ひかり》の中心《ちゅうしん》に、潜《せん》水艦《すいかん》の機影《きえい》が浮《う》かび上《あ》がる――。

「捕捉《ほそく》した」

赤井《あかい》はロケットランチャーの引《ひ》き金《がね》にかけた指《ゆび》に力《ちから》を入《い》れた。

「沈《しず》め」

砲口《ほうこう》が炎《ほのお》を噴《ふ》いて、ロケット弾《だん》を放《はな》った。

白煙《はくえん》を曳《ひ》いた弾《たま》は一直線《いっちょくせん》に海《うみ》を貫《つらぬ》き、潜水艦《せんすいかん》の艦尾付近《かんびふきん》に突《つ》き刺《さ》さった。爆発《ばくはつ》して、外《がい》殻《かく》に大《おお》きな穴《あな》が開《あ》く。

ロケット弾《だん》を受《う》けた潜水艦《せんすいかん》は、艦体《かんたい》を大《おお》きく震《ふる》わせた。地鳴《じな》りのような腹《はら》に響《ひび》く爆発音《ばくはつおん》が、艦尾《かんび》の方角《ほうがく》から伝《つた》わってくる。

発令所《はつれいしょ》にいたジンたちは、とっさにそばにあるものにつかまり、振動《しんどう》に耐《た》えた。

艦内《かんない》に警報機《けいほうき》のけたたましい音《おと》が鳴《な》り響《ひび》く。

「なんだ！　何《なに》が起《お》きた⁉」

ジンが揺《ゆ》れに耐《た》えながら叫《さけ》ぶと、

「エンジン出火《しゅっか》!!」

「発電機《はつでんき》から浸水《しんすい》!!」

「速力低下《そくりょくていか》!!」

「モーター停止《ていし》!!」

制御盤《せいぎょばん》にしがみついた乗組員《のりくみいん》たちが次々《つぎつぎ》と声《こえ》を上《あ》げる。

「サブ電力《でんりょく》に切《き》り替《か》えろ！」

潜望鏡《せんぼうきょう》につかまったウォッカが叫《さけ》ぶと、乗組員《のりくみいん》は首《くび》を横《よこ》に振《ふ》った。

「ダメです！　繋《つな》がりません!!」

手傷《てきず》を負《お》った潜水艦《せんすいかん》は、スクリューの回転《かいてん》する速度《そくど》が徐々《じょじょ》に弱《よわ》まっていき、やがて完全《かんぜん》に止《と》まった――。

ロケットランチャーを撃《う》った赤井《あかい》は、小《ちい》さくなっていく花火《はなび》の光《ひかり》を見下《みお》ろしていた。

「ボウヤ、よくやったぞ」

ホバリングしていたヘリコプターは一気《いっき》に上昇《じょうしょう》すると、夜空《よぞら》の彼方《かなた》へと消《き》えていく。

灰原《はいばら》は水中《すいちゅう》スクーターでコナンがいる岩礁帯《がんしょうたい》に向《む》かっていた。水中《すいちゅう》スクーターのライトを頼《たよ》りに暗《くら》い海《うみ》の中《なか》を進《すす》んでいく。

すると、視界《しかい》の隅《すみ》をゆらゆらと漂《ただよ》うものがかすめた。

(!)

それは、メガネだった。灰原《はいばら》は水中《すいちゅう》スクーターのアクセルを緩《ゆる》めて、それをキャッチした。黒《くろ》いふちのコナンのメガネだ。

(工藤君《くどうくん》……)

海《うみ》の中《なか》を漂《ただよ》うメガネに、胸騒《むなさわ》ぎがした。

灰原《はいばら》はメガネをスカートのポケットに入《い》れると、水中《すいちゅう》スクーターのアクセルを全開《ぜんかい》にして全速力《ぜんそくりょく》で進《すす》んだ。

そのとき、今度《こんど》はメガネよりもっと大《おお》きなものが漂《ただよ》っているのが視界《しかい》の隅《すみ》に映《うつ》った。

目《め》を向《む》けると——それはコナンだった。仰向《あおむ》けになったコナンが手足《てあし》をだらんと広《ひろ》げ、力《ちから》なく漂《ただよ》っている。海中《かいちゅう》ヘッドセットも小型《こがた》エアタンクも着《つ》けていない——！

灰原《はいばら》は水中《すいちゅう》スクーターの向《む》きを変《か》え、コナンの方《ほう》に向《む》かった。すると水中《すいちゅう》スクーターが急《きゅう》に減速《げんそく》して止《と》まってしまった。パネルを見《み》ると、バッテリーのマークが赤《あか》く点滅《てんめつ》している。

灰原《はいばら》は水中《すいちゅう》スクーターを手放《てばな》し、泳《およ》いでコナンの元《もと》へ向《む》かった。

（ウソ……ウソ……工藤君《くどうくん》！）

必死《ひっし》で水《みず》をかき分《わ》けてコナンの元《もと》にたどり着《つ》いた灰原《はいばら》は、コナンの肩《かた》をつかんだ。呼吸《こきゅう》ができなくなったコナンは、気《き》を失《うしな》っている。

灰原《はいばら》は口《くち》にくわえた小型《こがた》エアタンクの空気《くうき》を吸《す》い込《こ》むと、コナンの鼻《はな》をつまみ、口《くち》から息《いき》を吹《ふ》き込《こ》んだ。口《くち》を離《はな》すと、力《ちから》なく開《ひら》いたコナンの口《くち》から空気《くうき》が漏《も》れていく。

（ダメ……ダメ……！）

灰原《はいばら》は涙《なみだ》をこらえ、小型《こがた》エアタンクの空気《くうき》を吸《す》った。そして再《ふたた》びコナンの口《くち》に息《いき》を吹《ふ》き込《こ》む。唇《くちびる》を離《はな》した灰原《はいばら》は、コナンの口元《くちもと》を見《み》た。今度《こんど》は空気《くうき》が漏《も》れていない。

ややあって、コナンの口《くち》からゴボッと息《いき》が吐《は》き出《だ》された。

（！）

灰原《はいばら》は小型《こがた》エアタンクをコナンの口《くち》に当《あ》てた。すると、コナンが小型《こがた》エアタンクをつかんで空気《くうき》を吸《す》い始《はじ》めた。


覚醒《かくせい》したコナンは、口《くち》にくわえた小型《こがた》エアタンクの空気《くうき》を夢中《むちゅう》で吸《す》った。小型《こがた》エアタンクを口《くち》から離《はな》して目《め》を開《あ》けると、目《め》の前《まえ》に灰原《はいばら》がいた。コナンを見《み》ていた険《けわ》しい顔《かお》が、フッと穏《おだ》やかになる。

（危《あぶ》ねぇ……助《たす》かったぜ、灰原《はいばら》）

コナンは小型《こがた》エアタンクを灰原《はいばら》に渡《わた》した。灰原《はいばら》が小型《こがた》エアタンクを口《くち》にくわえて、空気《くうき》を吸《す》う。

コナンは右手《みぎて》で頭上《ずじょう》を指差《ゆびさ》し、左手《ひだりて》を灰原《はいばら》に差《さ》し出《だ》した。

（さぁ、ゆっくり浮上《ふじょう》しようぜ。急浮上《きゅうふじょう》すると減圧症《げんあつしょう》になっちまうからな）

手《て》を繋《つな》いだコナンと灰原《はいばら》は、小型《こがた》エアタンクの空気《くうき》を分《わ》け合《あ》いながら、ゆっくりと浮上《ふじょう》していった。

パシフィック・ブイから脱出《だっしゅつ》したピンガは、岩礁帯《がんしょうたい》で留《とど》まっている潜水艦《せんすいかん》にたどり着《つ》いた。艦首《かんしゅ》にある魚雷発射前部扉《ぎょらいはっしゃぜんぶとびら》につかまりながら、防水《ぼうすい》ケースに入《はい》ったスマホを見《み》る。

【到着《とうちゃく》】とメッセージを打《う》ったのに、返答《へんとう》がない。魚雷発射前部扉《ぎょらいはっしゃぜんぶとびら》も開《あ》かない。

ピンガはもう一度《いちど》メッセージを打《う》った。

【到着《とうちゃく》。開《あ》けろ】

しかし、なんの反応《はんのう》もない。

（……中《なか》に入《い》れない気《き》か？　あの野郎《やろう》！）

潜水艦《せんすいかん》のセイルを見上《みあ》げたピンガは、艦尾《かんび》の方向《ほうこう》へ泳《およ》ぎ出《だ》した。

（ねぇ、工藤君《くどうくん》。わかってる？）

暗《くら》い海《うみ》をゆっくりと浮上《ふじょう》しながら、灰原《はいばら》は手《て》を繋《つな》ぐコナンの横顔《よこがお》を見《み》つめた。

（組織《そしき》に私《わたし》がシェリーだとバレた以上《いじょう》、このまま帰《かえ》ったらみんなを巻《ま》き込《こ》むことになる。そう、私《わたし》にはもう帰《かえ》る場所《ばしょ》はどこにもないの……）

小型《こがた》エアタンクの空気《くうき》を吸《す》ったコナンが、灰原《はいばら》に小型《こがた》エアタンクを差《さ》し出《だ》した。灰原《はいばら》は受《う》け取《と》らずに、コナンをじっと見《み》つめる。

（だから、あなたといられるのはこれが最後《さいご》。バイバイだね。江戸川《えどがわ》コナン君《くん》……）

灰原《はいばら》が悲《かな》しげに微笑《ほほえ》むと、コナンは灰原《はいばら》の手《て》をグイッと引《ひ》っ張《ぱ》って自分《じぶん》に近《ちか》づけた。そして小型《こがた》エアタンクを灰原《はいばら》の口《くち》にくわえさせると、グッと顔《かお》を近《ちか》づけた。歯《は》を見《み》せてニッと笑《わら》う。

〝言《い》ったろ？　オレがぜってーなんとかしてやるってよ！　まあ、この後《あと》、スッゲー色々《いろいろ》大変《たいへん》そうだけど……〟

そう言《い》っているのが、灰原《はいばら》にはわかった。瞬時《しゅんじ》に、灰原《はいばら》の頬《ほお》が赤《あか》くなる。

コナンは前《まえ》を向《む》き、再《ふたた》びゆっくりと上昇《じょうしょう》した。

コナンと手《て》を繋《つな》いだ灰原《はいばら》は、自分《じぶん》に向《む》けられたコナンの様々《さまざま》な顔《かお》を思《おも》い出《だ》していた。

――逃《に》げるなよ、灰原《はいばら》…。自分《じぶん》の運命《うんめい》から…逃《に》げるんじゃねーぞ…。

――そーいう顔《かお》してたら子供《こども》にしか見《み》えねーんだからよ！

――心配《しんぱい》すんなよ！　ヤバくなったらオレがなんとかしてやっからよ！

灰原《はいばら》の頭《あたま》に浮《う》かんだのは、コナンの真剣《しんけん》な顔《かお》、自信《じしん》に満《み》ちた顔《かお》、そして優《やさ》しい笑顔《えがお》。

（……どうして？）

手《て》を繋《つな》ぐコナンの後《うし》ろ姿《すがた》に、灰原《はいばら》は心《こころ》の中《なか》で問《と》いかけた。

（どうしてあなたはいつも、いつも……そんな顔《かお》ができるのよ）

やがて海面《かいめん》が近《ちか》づいてきて、夜空《よぞら》に瞬《またた》く星《ほし》の光《ひかり》が見《み》えてきた。コナンが灰原《はいばら》を振《ふ》り返《かえ》って、ニッコリと笑《わら》う。

その微笑《ほほえ》む唇《くちびる》を見《み》て、灰原《はいばら》はコナンに人工呼吸《じんこうこきゅう》をしたことを思《おも》い出《だ》した。

（工藤君《くどうくん》……あなたは知《し》らないでしょうけど、私達《わたしたち》さっき……キスしちゃったのよ？）

ようやく二人《ふたり》は海面《かいめん》に出《で》た。そこは、パシフィック・ブイの船着《ふなつ》き場《ば》のすぐそばだった。

海面《かいめん》から顔《かお》を出《だ》した二人《ふたり》は、むさぼるように息《いき》を吸《す》った。


潜水艦《せんすいかん》は潮《しお》にゆっくりと流《なが》されていた。潮《しお》に逆《さか》らいながら艦尾方向《かんびほうこう》に泳《およ》いできたピンガは、セイルの後方《こうほう》を見《み》て愕然《がくぜん》とした。上甲板《じょうかんぱん》に搭載《とうさい》されていたはずの小型潜水艇《こがたせんすいてい》がなくなっているのだ。

メッセージを送《おく》っても反応《はんのう》がなく、魚雷発射前部扉《ぎょらいはっしゃぜんぶとびら》も開《あ》かない。そして脱出用《だっしゅつよう》の小型潜《こがたせん》水艇《すいてい》がなくなっている——。

（そういうことかよ、ジン……!!）

ジンの陰謀《いんぼう》を悟《さと》ったピンガは、口《くち》の端《はし》をゆがめて笑《わら》った。

潜水艦《せんすいかん》にはもう誰《だれ》も残《のこ》っていない。残《のこ》されたのはおそらく潜水艦《せんすいかん》を吹《ふ》き飛《と》ばす爆弾《ばくだん》だけだ――。

次《つぎ》の瞬間《しゅんかん》、潜水艦《せんすいかん》がまばゆい閃光《せんこう》を発《はっ》して爆発《ばくはつ》した。

閃光《せんこう》にのまれる瞬間《しゅんかん》、ピンガはニヤリと笑《わら》い、爆流《ばくりゅう》の中《なか》に消《き》えていった。

コナンと灰原《はいばら》が船着《ふなつ》き場《ば》に這《は》い上《あ》がると同時《どうじ》に、海中《かいちゅう》から地鳴《じな》りのような爆発音《ばくはつおん》がした。

突然《とつぜん》、目《め》の前《まえ》の海面《かいめん》が盛《も》り上《あ》がり、巨大《きょだい》な水柱《みずばしら》が立《た》ち上《あ》がる。

コナンは巨大《きょだい》な水柱《みずばしら》が高波《たかなみ》となって船着《ふなつ》き場《ば》に押《お》し寄《よ》せてくることに気《き》づいた。このままでは船着《ふなつ》き場《ば》もろとものみ込《こ》まれてしまう――!

(まずい……!)

そのとき、ボートのブイが波《なみ》にあおられて橋《はし》の方《ほう》へ飛《と》んでいった。

コナンは橋《はし》に向《む》かって走《はし》り出《だ》した。

橋《はし》の柵《さく》に飛《と》び乗《の》り、キック力増強《りょくぞうきょう》シューズのダイヤルをすばやく回《まわ》すと、飛《と》んでくるブイに向《む》かって大《おお》きくジャンプした。体《からだ》を上下逆《じょうげさか》さまにして、足《あし》の甲《こう》で思《おも》い切《き》り蹴《け》る――!

「行《い》っけえええええ――!!」

ブイは灰原《はいばら》の頭上《ずじょう》を一直線《いっちょくせん》に突《つ》き進《すす》み、船着《ふなつ》き場《ば》に襲《おそ》いかかろうとする高波《たかなみ》に大《おお》きな穴《あな》を空《あ》けた。穴《あな》の空《あ》いた高波《たかなみ》は、船着《ふなつ》き場《ば》を避《さ》けるように押《お》し寄《よ》せて崩《くず》れていった。

ジン達《たち》を乗《の》せた小型潜水艇《こがたせんすいてい》は、パシフィック・ブイからかなり離《はな》れた海中《かいちゅう》を潜航《せんこう》していた。乗組員《のりくみいん》でいっぱいの狭《せま》い艇内《ていない》で、ウォッカはジンと肩《かた》を並《なら》べて立《た》っている。

「破壊《はかい》したんですかい？」

「あの潜水艦《せんすいかん》には組織《そしき》の秘密《ひみつ》が詰《つ》まってるからな」

「ピンガには伝《つた》えたのよね？」

そばにいたキールがたずねると、ジンは目《め》を伏《ふ》せてニヤリとした。

「さぁ……どうだったかな」

潜水艇《せんすいてい》は穏《おだ》やかな海中《かいちゅう》を進《すす》み、やがて漆黒《しっこく》の闇《やみ》に吸《す》い込《こ》まれるように消《き》えていった。

ブイを蹴《け》り放《はな》ったコナンは、橋《はし》の上《うえ》に横《よこ》たわり、呼吸《こきゅう》を整《ととの》えていた。

「コナンくーん！」

海《うみ》の方《ほう》から蘭《らん》の声《こえ》がして、コナンはガバッと起《お》き上《あ》がった。海《うみ》の方《ほう》を振《ふ》り向《む》くと、丑尾《うしお》のクルーザーが近《ちか》づいていて、デッキで阿笠博士《あがさはかせ》と蘭《らん》が手《て》を振《ふ》っている。

「おーい！」

「無事《ぶじ》でよかったぁ！」

蘭《らん》たちの姿《すがた》を見《み》たコナンは、ホッと胸《むね》をなで下《お》ろした。

「助《たす》かったぞ、灰原《はいばら》！」

船着《ふなつ》き場《ば》を振《ふ》り返《かえ》ると、灰原《はいばら》は仰向《あおむ》けに横《よこ》たわっていた。声《こえ》をかけてもピクリとも反応《はんのう》しない。

「おい、灰原《はいばら》！」

コナンは駆《か》け出《だ》した。階段《かいだん》を下《お》りて、船着《ふなつ》き場《ば》で横《よこ》たわる灰原《はいばら》へ駆《か》けよる。

「灰原《はいばら》！　おい、灰原《はいばら》！」

肩《かた》を揺《ゆ》さぶったが、反応《はんのう》がない。

「くそっ！　減圧症《げんあつしょう》か⁉」

コナンは灰原《はいばら》の顎先《あごさき》を持《も》ち上《あ》げ、人工呼吸《じんこうこきゅう》をしようと顔《かお》を近《ちか》づけた。すると、

「んぐっ」

目《め》を閉《と》じた灰原《はいばら》が、コナンの口《くち》を手《て》で塞《ふさ》いだ。さらに持《も》っていたメガネを、コナンの太《ふと》

ももに置《お》く。

「……え？」

コナンが驚《おどろ》いていると、船着《ふなつ》き場《ば》に着岸《ちゃくがん》した丑尾《うしお》のクルーザーから蘭《らん》が走《はし》ってきた。

「大変《たいへん》！　哀《あい》ちゃん！　コナン君《くん》どいて！」

蘭《らん》は灰原《はいばら》の頭《あたま》の横《よこ》にひざまずき、灰原《はいばら》の顔《かお》を覗《のぞ》き込《こ》んだ。灰原《はいばら》は目《め》を閉《と》じて、ぐったりとしている。

「ウソ……どうしよう……」

蘭《らん》はうろたえながらも、人工呼吸《じんこうこきゅう》をしようと灰原《はいばら》に顔《かお》を近《ちか》づけた。すると突然《とつぜん》、灰原《はいばら》がムクリと起《お》き上《あ》がり、蘭《らん》の顔《かお》を両手《りょうて》で押《お》さえて唇《くちびる》にキスをした。

「!?」

コナンが驚《おどろ》いて目《め》を丸《まる》くすると、灰原《はいばら》は何事《なにごと》もなかったようにパタンと再《ふたた》び横《よこ》たわった。

「……え？」

突然《とつぜん》キスをされた蘭《らん》は、思《おも》わずコナンと顔《かお》を見合《みあ》わせた。

「ね、寝《ね》ぼけてるのかなぁ？」

コナンは慌《あわ》ててメガネをかけて、ごまかすように笑《わら》った。

二人《ふたり》の前《まえ》に横《よこ》たわった灰原《はいばら》は、こっそりと目《め》を開《あ》けてコナンを見《み》ると、口元《くちもと》を緩《ゆる》ませた。

(ちゃんと返《かえ》したわよ、あなたの唇《くちびる》)

11

羽田空港《はねだくうこう》の国際線出発《こくさいせんしゅっぱつ》ロビーは、ビジネス客《きゃく》やツアー客《きゃく》の団体《だんたい》で混雑《こんざつ》していた。

壁《かべ》にかけられた大型《おおがた》ディスプレイにはニュース番組《ばんぐみ》が映《うつ》っていて、女性《じょせい》アナウンサーが爆破《ばくは》されたパシフィック・ブイの続報《ぞくほう》を伝《つた》えている。

『……にある〈パシフィック・ブイ〉の復旧《ふっきゅう》を断念《だんねん》し、世界中《せかいじゅう》の防犯《ぼうはん》カメラを繋《つな》ぐインターポールの施設《しせつ》は、日本以外《にっぽんいがい》の国《くに》に置《お》くことになると発表《はっぴょう》しました』

灰原《はいばら》は海外《かいがい》に出発《しゅっぱつ》する直美《なおみ》の見送《みおく》りに来《き》ていた。

ディスプレイを見《み》た灰原《はいばら》は、同《おな》じニュース番組《ばんぐみ》で先日《せんじつ》、マリオ・アルジェント議員《ぎいん》の意識《いしき》が戻《もど》ったと告《つ》げていたのを思《おも》い出《だ》した。

「行《い》くのね、新《あら》たなパシフィック・ブイに。今度《こんど》はどこの国《くに》？」

灰原《はいばら》がたずねると、向《む》かい合《あ》った直美《なおみ》は申《もう》し訳《わけ》なさそうな顔《かお》をして膝《ひざ》をつき、目線《めせん》を合《あ》わせた。

「ごめんね。話《はな》しちゃいけないの」

「そうよね」

灰原《はいばら》が素直《すなお》に納得《なっとく》すると、直美《なおみ》はいきなり灰原《はいばら》を抱《だ》きしめた。

「ごめんなさい!」

「……いいわよ。言《い》っちゃいけない決《き》まりなんでしょ」

少々面食《しょうしょうめんく》らった灰原《はいばら》が言《い》うと、直美《なおみ》は灰原《はいばら》の頭《あたま》の横《よこ》でゆっくりと目《め》を開《あ》けた。

「……子供《こども》の言葉《ことば》や行動《こうどう》で、人生《じんせい》が変《か》わることもある」

「え?」

「あれ、本当《ほんとう》ね」

直美《なおみ》はそう言《い》うと、灰原《はいばら》から体《からだ》を離《はな》した。

「今《いま》のあなたのおかげで、これからの私《わたし》がある。ありがとう」

灰原《はいばら》の頬《ほお》に優《やさ》しく触《ふ》れた直美《なおみ》は、ゆっくりと立《た》ち上《あ》がった。

「じゃあ行《い》くね」

「ええ」

直美《なおみ》は小《ちい》さめのスーツケースを持《も》ち、保安検査場《ほあんけんさじょう》へと歩《ある》き出《だ》した。

灰原《はいばら》がその後《うし》ろ姿《すがた》を見送《みおく》ると、直美《なおみ》は数歩歩《すうほある》いたところですっと立《た》ち止《ど》まった。灰原《はいばら》の方《ほう》を振《ふ》り返《かえ》る。

「また会《あ》えて嬉《うれ》しかったわ。……志保《しほ》」

そう言《い》って微笑《ほほえ》む直美《なおみ》の顔《かお》が、アメリカでいじめから助《たす》けた少女《しょうじょ》と重《かさ》なって見《み》えた。

灰原《はいばら》は保安検査場《ほあんけんさじょう》へ入《はい》っていく直美《なおみ》をいつまでも見送《みおく》った。

灰原《はいばら》と一緒《いっしょ》に空港《くうこう》に来《き》ていたコナンは、出発《しゅっぱつ》ロビーの片隅《かたすみ》で阿笠博士《あがさはかせ》と並《なら》んで立《た》っていた。直美《なおみ》を見送《みおく》る灰原《はいばら》に目《め》を向《む》けながら、帰《かえ》りのフェリーで安室《あむろ》から電話《でんわ》がかかってきたことを思《おも》い出《だ》す。

＊＊＊

「え！　ベルモットが!?」

『ああ。おそらくベルモットがいろんなシェリーに化《ば》けて、各地《かくち》の防犯《ぼうはん》カメラにその姿《すがた》を残《のこ》したんだ。どの人物《じんぶつ》の指先《ゆびさき》にも同《おな》じネイルが塗《ぬ》られていたからわかった。おかげで組織《そしき》は老若認証《ろうにゃくにんしょう》への興味《きょうみ》をなくしたよ』

「でも、どうしてベルモットが……」

『さあね。君《きみ》なら心当《こころあ》たりがあると思《おも》ったんだけどな。ちなみにピンガという組織《そしき》のメンバーが帰還《きかん》せずに消息《しょうそく》を絶《た》ったらしいけど……君《きみ》は何《なに》か知《し》ってるかい？』

「……さあ？」

＊　＊　＊

（あの後《あと》、奴等《やつら》の動《うご》きがねぇなと思《おも》ってたけど……やっぱりあの潜水艦《せんすいかん》の爆発《ばくはつ》に巻《ま》き込《こ》まれて……）

コナンが考《かんが》え込《こ》んでいると、

「どうしたの？」

歩《あゆ》み寄《よ》ってきた灰原《はいばら》が声《こえ》をかけた。

「……あ、いや別《べつ》に」

コナンは軽《かる》く首《くび》を横《よこ》に振《ふ》った。

「じゃあ腹《はら》ごしらえでもして帰《かえ》るとするかの」

阿笠博士《あがさはかせ》がレストラン街《がい》の方《ほう》を指差《ゆびさ》すと、

「揚《あ》げ物《もの》はダメよ」

灰原《はいばら》がすかさず釘《くぎ》を刺《さ》した。

「アゲアゲ、哀君《あいくん》の愛《あい》は手厳《てきび》しいの〜」

「当《あ》たり前《まえ》じゃない。隠《かく》れて食《た》べてるの知《し》ってるんだから！」

「ええー…」

苦笑《にがわら》いする阿笠博士《あがさはかせ》の後《うし》ろを、コナンもやれやれと笑《わら》いながら灰原《はいばら》と一緒《いっしょ》についていく。

三人《さんにん》がレストラン街《がい》の方《ほう》へ歩《ある》いていくのを、上《うえ》の階《かい》から見《み》ている人物《じんぶつ》がいた。米花百貨《べいかひゃっか》店《てん》で灰原《はいばら》が整理券《せいりけん》を譲《ゆず》った老婦人《ろうふじん》だ。

やがて着物姿《きものすがた》の老婦人《ろうふじん》はエレベータに向《む》かって歩《ある》き出《だ》した。歩《あゆ》みが速《はや》くなったかと思《おも》うと、顔《かお》に手《て》をかけて変装《へんそう》マスクを一気《いっき》に剥《は》がした。結《ゆ》っていたプラチナブロンドの長《なが》い髪《かみ》が宙《ちゅう》を舞《ま》い、ベルモットの美《うつく》しい素顔《すがお》が現《あらわ》れる。

エレベータの扉《とびら》が開《あ》いて、ベルモットは乗《の》り込《こ》んだ。扉《とびら》の方《ほう》を向《む》いて、静《しず》かにほほ笑《え》む。

（助《たす》けたワケ？　それを探《さぐ》るのがあなたの仕事《しごと》でしょ？　シルバーブレット君《くん》）

ベルモットの着物《きもの》の帯《おび》を結《むす》んだ帯締《おびじ》めには、『フサエキャンベル』の限定《げんてい》ブローチがついていて、ブローチにあしらわれたダイヤモンドが美《うつく》しい煌《きら》めきを放《はな》っていた。

［おわり］

Shogakukan Junior Bunko

★小学館ジュニア文庫★
名探偵コナン 黒鉄《くろがね》の魚影《サブマリン》

2023年 4 月19日　初版第 1 刷発行

著者／水稀しま
原作／青山剛昌
脚本／櫻井武晴

発行人／井上拓生
編集人／今村愛子
編集／伊藤　澄

発行所／株式会社　小学館
〒101-8001　東京都千代田区一ツ橋2－3－1
電話／編集　03-3230-5105
販売　03-5281-3555

印刷・製本／中央精版印刷株式会社

口絵構成／内野智子
カバーデザイン／石沢将人＋ベイブリッジ・スタジオ

Printed in Japan　　ISBN 978-4-09-231452-8

★小学館ジュニア文庫★ ワクワク、ドキドキがいっぱいのラインナップ

〈大人気！「名探偵コナン」シリーズ〉

名探偵コナン　世紀末の魔術師
名探偵コナン　瞳の中の暗殺者
名探偵コナン　天国へのカウントダウン
名探偵コナン　迷宮の十字路
名探偵コナン　銀翼の奇術師
名探偵コナン　水平線上の陰謀
名探偵コナン　探偵たちの鎮魂歌
名探偵コナン　紺碧の棺
名探偵コナン　戦慄の楽譜
名探偵コナン　漆黒の追跡者
名探偵コナン　天空の難破船
名探偵コナン　沈黙の15分
名探偵コナン　11人目のストライカー
名探偵コナン　絶海の探偵
名探偵コナン　異次元の狙撃手
名探偵コナン　業火の向日葵
名探偵コナン　純黒の悪夢
名探偵コナン　から紅の恋歌
名探偵コナン　ゼロの執行人
名探偵コナン　紺青の拳
名探偵コナン　緋色の弾丸

名探偵コナン　ハロウィンの花嫁

名探偵コナン　黒鉄の魚影

ルパン三世VS名探偵コナン　THE MOVIE

名探偵コナン　江戸川コナン失踪事件 史上最悪の二日間
名探偵コナン　コナンと海老蔵 歌舞伎十八番ミステリー
名探偵コナン　エピソード"ONE" 小さくなった名探偵
名探偵コナン　紅の修学旅行

次はどれにする？ おもしろくて楽しい新刊が、続々登場!!

名探偵コナン 大怪獣ゴメラVS仮面ヤイバー

名探偵コナン ブラックインパクト！ 組織の手が届く瞬間

小説 名探偵コナン CASE1～4

名探偵コナン 安室透セレクション ゼロの推理劇

名探偵コナン 安室透セレクション ゼロの裏事情

名探偵コナン 怪盗キッドセレクション 月下の予告状

名探偵コナン 京極真セレクション 蹴撃の事件録

名探偵コナン 赤井秀一セレクション 赤と黒の攻防

名探偵コナン 赤井秀一緋色の回顧録セレクション 狙撃手の極秘任務

名探偵コナン 赤井一家セレクション 緋色の推理記録

名探偵コナン 世良真純セレクション 異国帰りの転校生

名探偵コナン 灰原哀セレクション 裏切りの代償

名探偵コナン 黒ずくめの組織セレクション 黒の策略

名探偵コナン 警察セレクション 命がけの刑事たち

まじっく快斗1412 全6巻

★小学館ジュニア文庫★ワクワク、ドキドキがいっぱいのラインナップ

〈ジュニア文庫でしか読めないおはなし!〉

愛情融資店まごころ 全3巻
アイドル誕生! ～こんなわたしがAKB48に!?～
アズサくんには注目しないでください!
あの日、そらですきをみつけた
いじめ 14歳のMessage
1話3分 こわい家、あります。
くらやみくんのブラックリスト 全3巻
おいでよ、花まる寮!
お悩み解決! ズバッと同盟 全2巻
緒崎さん家の妖怪事件簿 全4巻
彼方からのジュエリーナイト!
彼方からのジュエリーナイト! 怪盗ナインをつかまえたい!

華麗なる探偵アリス&ペンギン
華麗なる探偵アリス&ペンギン ワンダー・チェンジ!
華麗なる探偵アリス&ペンギン ミラー・ラビリンス
華麗なる探偵アリス&ペンギン サマー・トレジャー

華麗なる探偵アリス&ペンギン トラブル・ハロウィン
華麗なる探偵アリス&ペンギン ペンギン・パニック!
華麗なる探偵アリス&ペンギン ミステリアス・ナイト
華麗なる探偵アリス&ペンギン アリスVS.ホームズ!
華麗なる探偵アリス&ペンギン アラビアン・デート
華麗なる探偵アリス&ペンギン パーティ・パーティ
華麗なる探偵アリス&ペンギン ホームズ・イン・ジャパン
華麗なる探偵アリス&ペンギン ウィッチ・ハント!
華麗なる探偵アリス&ペンギン ファンシー・ファンタジー
華麗なる探偵アリス&ペンギン リトル・リドル・アリス
華麗なる探偵アリス&ペンギン ゴースト・キャッスル
華麗なる探偵アリス&ペンギン ウェルカム・ミラーランド
華麗なる探偵アリス&ペンギン ウィッシュ・オン・ザ・スターズ
華麗なる探偵アリス&ペンギン ダンシング・グルメ
華麗なる探偵アリス&ペンギン ペンギン・ウォンテッド!

華麗なる探偵アリス&ペンギン キャッツ・イン・ザ・スカイ

華麗なる探偵アリス&ペンギン スパイ・スパイ

ギルティゲーム 全6巻
銀色☆フェアリーテイル 全3巻
ぐらん×ぐらんぱ! スマホジャック 全2巻
ここはエンゲキ特区!
さくら×ドロップ レシピ1:チーズハンバーグ
ちえり×ドロップ レシピ1:マカロニグラタン
みさと×ドロップ レシピ1:チェリーパイ
さよなら、かぐや姫 ～月とわたしの物語～
12歳の約束
女優猫あなご
白魔女リンと3悪魔 全10巻
世界中からヘンテコリン!? 世にも不思議なおみやげ図鑑 メキシコ&フィンランド編
世界の中心で、愛をさけぶ
絶滅クラス! ～暴走列車から脱出しろ!～

ぜんぶ、藍色だった。
そんなに仲良くない小学生4人は謎の島を脱出できるのか!?
探偵ハイネは予言をはずさない
探偵ハイネは予言をはずさない ハウス・オブ・ホラー
探偵ハイネは予言をはずさない デートタイム・ミステリー
転校生 ポチ崎ポチ夫
天才発明家ニコ&キャット 全2巻
TOKYOオリンピック はじめて物語
謎解きはディナーのあとで 全3巻
猫占い師とこはくのタロット
のぞみ、出発進行!!
初恋×ヴァンパイア

パティシエ志望だったのに、シンデレラのいじわるな姉に生まれ変わってしまいました!
大熊猫ベーカリー 全2巻
姫さまですよねっ!? 姫さまVS.暴君殿さまVS.忍者 大坂城は大さわぎ!

ホルンペッター
ぼくたちと駐在さんの700日戦争 ベスト版 闘争の巻
三つ子ラブ注意報! モテ男子の目黒くんたちと一緒に住むことになりまして
三つ子ラブ注意報! モテ男子目黒くんたちの甘すぎる溺愛バトル!?
ミラクルへんてこ小学生 ポチ崎ポチ夫
メチャ盛りユーチューバーアイドルいおん☆
メデタシエンド。 全2巻
ゆめ☆かわ ここあのコスメボックス 全6巻
夢は牛のお医者さん
4分の1の魔女リアと真夜中の魔法クラス まさかの魔法使いデビュー!
4分の1の魔女リアと真夜中の魔法クラス ひとりぼっちの魔法バトル!
4分の1の魔女リアと真夜中の魔法クラス 黒に堕ちた学園を救え…る?

リアル鬼ごっこ リプレイ
リアル鬼ごっこ セブンルールズ
リアル鬼ごっこ リバースウイルス

リアルケイドロ 捜査ファイル01 渋谷編 逃亡犯を追いつめろ!

レベル1で異世界召喚されたオレだけど、攻略本は読みこんでます。
レベル1で異世界召喚されたオレだけど、なぜか新米魔王やってます
わたしのこと、好きになってください。

次はどれにする? おもしろくて楽しい新刊が、続々登場!!

★小学館ジュニア文庫★ ワクワク、ドキドキがいっぱいのラインナップ

〈みんな読んでる「ドラえもん」シリーズ〉

小説 映画ドラえもん のび太の宝島
小説 映画ドラえもん のび太の月面探査記
小説 映画ドラえもん のび太の新恐竜
小説 映画ドラえもん のび太の人魚大海戦

小説 映画ドラえもん のび太と奇跡の島

小説 映画ドラえもん のび太の宇宙英雄記

小説 映画ドラえもん のび太の南極カチコチ大冒険

小説 映画ドラえもん のび太の宇宙小戦争 2021
小説 映画ドラえもん のび太と空の理想郷

小説 STAND BY ME ドラえもん

小説 STAND BY ME ドラえもん 2

ドラえもん 5分でドラ語り ことわざひみつ話
ドラえもん 5分でドラ語り 四字熟語ひみつ話
ドラえもん 5分でドラ語り 故事成語ひみつ話

〈大好き！　大人気まんが原作シリーズ〉

小説　アオアシ　全5巻

小説　青のオーケストラ１

ある日　犬の国から手紙が来て

いじめ　全11巻

おはなし！コウペンちゃん　全2巻

おはなし　猫ピッチャー　全2巻

学校に行けない私たち

思春期♡革命～カラダとココロのハジメテ～

12歳。アニメノベライズ～ちっちゃなムネのトキメキ～　全8巻

小説　二月の勝者　―絶対合格の教室―

小説　二月の勝者　―絶対合格の教室―　春夏の陣

小説　二月の勝者　―絶対合格の教室―　秋の陣　決戦開幕

人間回収車　全3巻

はろー!!　マイベイビー

はろー!!　マイベイビー2

はろー!!　マイベイビー3

はろー!!　マイベイビー4

ふなっしーの大冒険　きょうだい集結！梨汁ブシャーッに気をつけろ!!

ブラックチャンネル　動画クリエイターが悪魔だった件

〈背筋がゾクゾクするホラー&ミステリー〉

恐怖学校伝説

恐怖学校伝説　絶叫怪談

こちら魔王110番！

リアル鬼ごっこ

ニホンブンレツ（上）（下）

ブラック

〈時代をこえた面白さ!!　世界名作シリーズ〉

小公女セーラ　家なき子

小公子セドリック　あしながおじさん

トム・ソーヤの冒険　赤毛のアン（上）（下）

フランダースの犬　ピーターパン

オズの魔法使い　宝島

坊っちゃん

次はどれにする？　おもしろくて楽しい新刊が、続々登場!!